Margaret Peterson Haddix
Schattenkinder
Im Zentrum der Macht

Margaret Peterson Haddix

Schattenkinder

Im Zentrum der Macht

Roman

Aus dem Amerikanischen von
Bettina Münch

Deutscher Taschenbuch Verlag

Von Margaret Peterson Haddix sind außerdem bei
dtv junior lieferbar:
Schattenkinder, dtv extra 70635
Schattenkinder, Unter Verrätern, dtv extra 70770
Schattenkinder, Die Betrogenen, dtv extra 70788
Schattenkinder, In der Welt der Barone,
dtv extra 70907
Schattenkinder, Gefährliche Freiheit,
dtv extra 71200
Sie sind die Antwort auf alles, dtv pocket 78129

Deutsche Erstausgabe
In neuer Rechtschreibung
3. Auflage März 2009
2006 Deutscher Taschenbuch Verlag GmbH & Co. KG, München
www.dtvjunior.de
© 2004 Margaret Peterson Haddix
Titel der amerikanischen Originalausgabe:
›Among the brave‹, 2004 erschienen bei Simon & Schuster Books
for Young Readers, an imprint of Simon & Schuster Children's
Publishing Division, New York
© für die deutschsprachige Ausgabe:
2006 Deutscher Taschenbuch Verlag GmbH & Co. KG, München
Umschlaggestaltung: Jorge Schmidt und Tabea Dietrich
unter Verwendung eines Fotos von Jan Roeder
Satz: Fotosatz Reinhard Amann, Aichstetten
Gesetzt aus der Sabon 11/14˙ (QuarkXPress)
Druck und Bindung: Kösel, Krugzell
Printed in Germany · ISBN 978-3-423-70984-2

Für Jeff

Mein Dank gilt Gillian McIntosh, John Peterson und Mary Fleming für ihre Hilfe bei diesem Buch.

1. Kapitel

Na toll, dachte Trey. *Da tue ich einmal in meinem Leben etwas Mutiges und schon heißt es: ›Habt ihr irgendetwas Gefährliches zu erledigen? Dann schickt Trey. Er macht das schon.‹ Weiß denn niemand mehr, dass ich mit zweitem Vornamen ›Feigling‹ heiße?*

Im Grunde gab es auf der ganzen Welt nur zwei Menschen, die wussten, wie Trey wirklich hieß, und einer davon war tot. Aber Trey hatte keine Zeit, sich darüber den Kopf zu zerbrechen, denn er steckte bis zum Hals in Schwierigkeiten. Er hatte gerade mit angesehen, wie zwei Menschen starben und andere in Gefahr geraten waren. Vielleicht war auch er in Gefahr gewesen oder er war es noch. Er und seine Freunde hatten den Schauplatz verlassen, wo Tod, Chaos und Verwüstung herrschten, waren zu einem völlig Unbekannten ins Auto gesprungen und davongebraust, um Hilfe zu holen. Sie waren die ganze Nacht durchgefahren und soeben hatte der Wagen vor einem wildfremden Haus angehalten, in einer wildfremden Gegend, in der Trey noch nie gewesen war.

Und nun erwarteten seine Freunde, dass er sich als Herr über diese Lage erwies.

»Worauf wartest du noch«, sagte seine Freundin Nina, »steig aus und klopf an die Tür.«

»Warum tust *du* es nicht?«, erwiderte Trey. Genauso gut hätte er zugeben können, dass er weniger Mut besaß als ein

Mädchen. Weder Mut noch Stolz. Ins Lateinische übersetzt ergäbe das ein gutes Lebensmotto für ihn. Vielleicht *Nulla fortitudo nulla superbia*? Für einen kurzen Moment erlaubte sich Trey in nostalgischen Erinnerungen an die Zeit zu schwelgen, als die Übersetzung lateinischer Sprüche noch seine größte Herausforderung dargestellt hatte.

»Weil«, sagte Nina. »Du weißt schon. Mr Talbot und ich – sagen wir einfach, da werden eine Menge schlechter Erinnerungen in mir wach.«

»Oh«, sagte Trey. Und wenn er seine Furcht nur ein klein wenig außer Acht ließ, verstand er sie sogar. Mr Talbot, der Mann, zu dem sie geflüchtet waren, hatte Nina einst einer extremen Loyalitätsprüfung unterzogen. Es war notwendig gewesen, darin waren sich alle einig – selbst Nina gab das zu. Aber angenehm war es trotzdem nicht gewesen. Mr Talbot hatte sie ins Gefängnis gesperrt und mit dem Tode bedroht.

Trey war froh, dass man ihn einer solchen Prüfung nie ausgesetzt hatte. Er würde garantiert durchfallen, das wusste er.

Wieder sahen sie zu dem klotzigen Ungetüm von Haus hinüber, in dem Mr Talbot lebte. Er war nicht gefährlich, rief Trey sich in Erinnerung. Mr Talbot würde sie retten. Trey, Nina und ein paar ihrer Freunde hatten ihn aufgesucht, um ihre schlechten Neuigkeiten und ihre Verwirrung bei ihm abzuladen. Damit *er* die Sache in die Hand nahm und sie sich nicht selbst darum kümmern mussten.

Trey schielte nach vorn, wo seine Freunde Joel und John neben dem Fahrer saßen oder, genau genommen, dem »Chauffeur«. Das war ein französisches Lehnwort. Nur dass der französische Originalbegriff – *chauffer*? – sich gar nicht von »fahren« ableitete. Er bedeutete »erwärmen« oder »erhitzen« oder so etwas Ähnliches, weil Chauffeure früher Fahrzeuge gesteuert hatten, die von Dampfmaschinen angetrieben wurden.

Nicht, dass das eine Rolle spielte. Warum verplemperte er nur seine Zeit damit, über fremdsprachige Verben nachzudenken? Seine Französischkenntnisse würden ihm im Augenblick nicht im Mindesten weiterhelfen. Er konnte mit ihnen beispielsweise nicht herausfinden, ob er dem Fahrer vertrauen durfte oder nicht. Wie viel einfacher wäre es, wenn er an einem einzigen Wort erkennen könnte, ob er das Risiko eingehen durfte, den Fahrer loszuschicken, um an Mr Talbots Tür zu klopfen, während er, Trey, sicher im Wagen hocken blieb.

Oder was war mit Joel und John? Zugegeben, sie waren jünger als er und vielleicht noch größere Angsthasen. Sie hatten *noch nie* etwas Mutiges getan. Trotzdem –

»Trey?«, sagte Nina. »Los jetzt!«

Sie griff mit der Hand über ihn hinweg und stieß die Wagentür auf. Dann gab sie ihm einen kleinen und so überraschenden Schubs, dass er selbst nicht recht wusste, warum er auf einmal auf seinen eigenen Füßen neben dem Wagen stand.

Nina zog die Tür hinter ihm zu.

Trey atmete tief durch. Aus Angst und aus alter Gewohnheit – einer Gewohnheit der Angst oder angsterfüllter Gewohnheit – begannen sich seine Hände zu Fäusten zu ballen und ließen erst wieder locker, als ihn etwas schmerzhaft in die Handinnenflächen schnitt. Er hatte ganz vergessen, dass er immer noch den Packen Papiere in der Hand hielt, den er vom

Schreibtisch eines toten Mannes genommen hatte. Als er hinabsah, entdeckte er eine dünne Blutspur an seiner Hand, die sich in scharfem Kontrast von dem schneeweißen Papier abhob.

Schon packte Trey die Panik. Hatte ihn jemand angeschossen? War er in noch größerer Gefahr, als er geglaubt hatte? In seinen Ohren rauschte es und er meinte vor Angst ohnmächtig werden zu müssen. Doch alles blieb ruhig und nach einem kurzen Moment begann er wieder klarer zu denken.

Er betrachtete das Blut noch einmal. Es war kaum mehr als ein Tropfen.

Okay, beruhigte sich Trey. *Du hattest gerade eine Panikattacke, weil du dich an einem Blatt Papier geschnitten hast. Das behältst du besser für dich.*

Drinnen wäre so ein Schnitt keine große Sache gewesen. Aber im Freien – im Freien reichte die pure Notwendigkeit, atmen zu müssen, um ihn in Panik zu versetzen.

Er zwang sich trotzdem weiterzuatmen. Und unter Aufbietung seiner ganzen Willenskraft überwand sich Trey einen Schritt vorwärts zu gehen. Dann noch einen und noch einen.

Es war ein langer Weg von der Straße zu Mr Talbots Haus und ungünstigerweise hatte der Chauffeur auch noch ein wenig abseits geparkt, unter einer Baumgruppe, die mehr oder weniger verhinderte, dass das Auto vom Haus aus zu sehen war. Trey erwog kehrtzumachen, wieder ins Auto zu steigen und den Chauffeur anzuweisen näher heranzufahren – direkt vor die Veranda der Talbots zum Beispiel. Aber dafür hätte er mehrere Schritte zurücklaufen müssen, wo er doch schon so weit gekommen war.

Fast einen ganzen Meter.

Ein Teil seines Verstandes wusste, dass er sich lächerlich verhielt – wie ein dummes Kind, ein Feigling, ein angstgebeutelter Idiot.

Das ist nicht meine Schuld, verteidigte sich Trey innerlich. *Das ist alles ... Konditionierung. Ich kann schließlich nichts dafür, wie man mich aufgezogen hat.* Das war die Untertreibung des Jahres. Denn in seinem dreizehnjährigen Dasein hatte Trey so gut wie keinen Aspekt seines Lebens selbst beeinflussen können. Er war ein illegal geborenes drittes Kind, ein Schattenkind, dem die Regierung das Recht auf Leben absprach. Also hatte man ihn versteckt, in einem einzigen Zimmer, vom Tag seiner Geburt bis zu seinem zwölften Lebensjahr. Und dann, als er fast dreizehn und sein Vater gestorben war ...

Du hast keine Zeit für solche Grübeleien, rief Trey sich zur Ordnung. *Lauf weiter.*

Er ging einige Schritte vorwärts, denn jetzt trieb ihn ein brennender Zorn, den er einfach nicht abzuschütteln vermochte. Seine Gedanken eilten zurück zu einer Multiple-choice-Testfrage, die er sich seit mehr als einem Jahr immer wieder stellte: *Wen hasst du? a) ihn, b) sie oder c) dich selbst?* Weitere Wahlmöglichkeiten hinzuzufügen hatte keinen Zweck: *d) alle oben Genannten, e) a und b, f) a und c, oder g) b und c?* Denn dann verwandelte sich die Frage in: *Wen hasst du am meisten?*

Hör auf damit!, befahl sich Trey. *Tu einfach so, als wärst du Lee.*

Treys Freund Lee war genau wie er ein illegales drittes

Kind, aber Lee war auf dem Land aufgewachsen, auf einer abgelegenen Farm, und hatte daher viel Zeit im Freien verbringen können. In Treys Augen war er fast normal aufgewachsen. Ebenso sehr wie Trey es hasste und fürchtete, im Freien zu sein, sehnte sich Lee danach.

»Wie hältst du das nur aus?«, hatte Trey ihn einmal gefragt. »Warum hast du keine Angst? Denkst du nie daran, wie gefährlich es ist?«

»Ich glaube nicht«, hatte Lee mit einem Achselzucken geantwortet. »Wenn ich draußen bin, sehe ich den Himmel, das Gras und die Bäume und denke an nichts anderes, glaube ich.«

Trey betrachtete den Himmel, das Gras und die Bäume um sich herum und konnte nichts anderes denken als, *Lee sollte an meiner Stelle hier sein und zu Mr Talbots Haus hinüberlaufen.* Bis vor zehn Minuten hatte Lee noch bei Trey und Nina, Joel und John im Auto gesessen. Doch dann hatte er sich und Smits, einen anderen Jungen, vom Chauffeur an einer Kreuzung mitten in der Pampa absetzen lassen und gesagt: »Ich muss Smits in Sicherheit bringen.«

Trey vermutete, dass Lee den Jungen zu sich nach Hause brachte, auf die Farm seiner Eltern, aber darüber wollte er lieber nicht nachdenken. Es war zu gefährlich. Allein der Gedanke daran war gefährlich.

Außerdem machte die Vorstellung Trey neidisch, dass Lee immer noch ein Zuhause hatte, wo er hinkonnte, und Eltern, die ihn liebten; Trey dagegen hatte all das nicht mehr.

Aber wenn ich nicht wäre, dann wäre Lee jetzt tot, dachte er mit einem Gefühl, das ihm so fremd war, dass er es kaum benennen konnte. Stolz. Er fühlte sich stolz. Und, lateinisches

Feigheitsmotto hin oder her, er hatte ein Recht darauf, stolz zu sein.

Treys mutige Tat – bisher die einzige in seinem Leben – hatte darin bestanden, Lee in der vergangenen Nacht das Leben zu retten.

Unter den Stolz mischten sich verschiedene andere Gefühle, die Trey bisher noch nicht hatte ergründen können. Er spürte, wie sich die Muskeln in seinen Beinen anspannten, als erinnerten sie sich ebenfalls an die vergangene Nacht; daran, wie sie im letzten Augenblick vorwärts gehechtet waren, um Lee zur Seite zu stoßen, nur Sekunden vor der Explosion aus Glas, genau dort, wo Lee gerade noch gestanden hatte ...

Es ist leichter, mutig zu sein, wenn einem die Zeit fehlt, über die Alternativen nachzudenken, dachte Trey. *Anders als jetzt.*

Hier draußen im Freien gab es unzählige Alternativen. Diejenigen, die ihm am besten gefielen, drehten sich darum, dass er sich versteckte. Wie schnell konnte er im Notfall zum Auto zurückrennen? Würde die Baumgruppe dort ein gutes Versteck abgeben? Würde er außer Sichtweite sein, wenn er sich zwischen den riesigen Blumenkübel und die Wand des Talbot-Hauses quetschte?

Trey zwang sich weiterzugehen. Es war wie ein Wunder, als er schließlich die vordere Veranda erreichte. Sehnsüchtig sah er zum Blumenkübel hinüber, überwand sich aber und drückte einen Finger auf die Klingel.

Ganz schwach vernahm er die Melodie eines bekannten Lieds, die als Klingelton von drinnen ertönte. Niemand rührte sich. Er gönnte sich einen Moment, um den Türklop-

fer aus Messing mit der eleganten Gravur GEORGE A. TAL-
BOT, ESQUIRE zu bewundern. Es rührte sich immer noch
niemand.

Pech gehabt, dachte Trey, *also zurück zum Wagen.* Doch
seine Beine versagten ihm den Dienst. Die Vorstellung, über
das ganze offene Gelände zurücklaufen zu müssen, war ihm
unerträglich. Noch einmal drückte er auf die Klingel.

Diesmal ging die Tür auf.

Trey wurde zwischen Erleichterung und Panik hin- und
hergeworfen. Doch die Erleichterung gewann die Oberhand,
als er auf der anderen Seite der Türschwelle das vertraute Gesicht von Mr Talbot erblickte. *Siehst du, war doch gar nicht
so schlimm,* sagte er sich. *Ich bin bis hierher gelaufen, ohne
dass mir auch nur die Beine gezittert haben. Das musst du
mir erst einmal nachmachen, Nina! Ich bin mutiger als du!*

Trey begann zu überlegen, was er Mr Talbot ausrichten
sollte. Er hatte sich darüber bisher noch keine Gedanken gemacht. Worte fielen ihm um vieles leichter als Taten.

»Ich bin ja so froh, dass Sie zu Hause sind, Mr Talbot«,
setzte er an. »Sie werden nicht glauben, was passiert ist. Wir
sind gerade –«

Doch Mr Talbot schnitt ihm das Wort ab.

»Nein, ich will wirklich nichts kaufen, um Ihre Schul-
mannschaft zu unterstützen«, sagte er. »Bitte kommen Sie
nicht wieder her. Richten Sie Ihren Mannschaftskollegen aus,
dass Betteln und Hausieren bei uns verboten ist. Sehen Sie
denn nicht, dass ich ein viel beschäftigter Mann bin?«

Wie ein drohendes Ausrufezeichen erschien zwischen Mr
Talbots Brauen eine tiefe Furche.

»Aber, Mr Talbot – Ich bin doch gar kein – Ich bin –«

Zu spät. Direkt vor Treys Nase fiel die Tür krachend ins Schloss.

»– Trey«, endete er mit einem Flüstern, das nur die Tür hören konnte.

Er erinnert sich nicht mehr an mich, dachte Trey. Das war nicht weiter verwunderlich. Immer wenn Mr Talbot der Hendricks-Schule, deren Schüler Trey und Lee waren, einen Besuch abgestattet hatte, war Trey im Hintergrund geblieben, kaum auffälliger als die Tapete an der Wand.

Lee dagegen hatte jedes Mal im Zentrum des Geschehens gestanden, er hatte mit Mr Talbot geredet, gelacht und war mit ihm fein essen gegangen.

Lee hätte Mr Talbot bestimmt nicht die Türe vor der Nase zugeschlagen, dachte Trey. War er auch darauf eifersüchtig? *Nein. Ich wünschte nur, Lee wäre jetzt hier und könnte mit Mr Talbot reden.*

Trey seufzte und versuchte all seinen Mut zusammenzunehmen, um noch einmal auf die Klingel zu drücken.

Doch dann geschahen zwei Dinge in unmittelbarer Folge.

Als Erstes schoss unter dem Haus – aus einer verborgenen Garage, wie Trey vermutete – ein Wagen heraus. Er war schwarz und lang und wirkte sehr offiziell. Mit quietschenden Reifen brauste er um die Kurven der Zufahrt. Vorn im Wagen sah Trey zwei uniformierte Männer. Hinten saß Mr Talbot und er hob die Hände vor die Fensterscheibe, direkt in Treys Blickfeld. An seinen Handgelenken glänzte etwas Metallenes.

Handschellen?

Das schwarze Auto raste über den Bordstein und dann die Straße hinab.

Trey stand immer noch mit offenem Mund da und versuchte zu begreifen, was er gerade mit angesehen hatte, als der Wagen, mit dem er selbst gekommen war – in dem sich immer noch Nina, Joel und John versteckten –, im Schutz der Bäume vorwärts zu rollen begann. Trey fühlte einen Funken Hoffnung in sich aufkeimen: *Sie kommen mich zu retten!*

Doch der Wagen fuhr in die falsche Richtung.

Mit aufgerissenen Augen sah Trey das Auto davongleiten, nicht mehr als ein Schatten unter den Bäumen, ein schwarzer Strich auf der Landstraße.

Dann war es verschwunden.

Sie haben mich im Stich gelassen!, fuhr es Trey durch den Kopf. *Sie haben mich im Stich gelassen!*

Er stand mutterseelenallein auf der Veranda eines Mannes, dem er gleichgültig war – eines verhafteten Mannes? –, mitten in der endlosen Weite des Landes, wo alle Welt ihn sehen konnte.

Ohne nachzudenken warf sich Trey hinter den riesigen Blumenkübel, in Deckung.

2. Kapitel

Treys Instinkt hatte sich ausnahmsweise einmal als richtig erwiesen. Sekunden später schwärmte eine ganze Armada schwarzer Wagen die Straße herauf und auf das Grundstück der Talbots. Sie überschwemmten die Auffahrt, so dass die letzten Wagen kreuz und quer auf dem Rasen parken mussten. Als er mutig über den Rand des Blumenkübels spähte, sah Trey, wie die Autotüren aufgingen und Dutzende Männer in schwarzen Uniformen herausquollen. Er duckte sich unwillkürlich und versuchte seinen Körper hinter dem Blumenkübel so klein wie möglich zu machen.

War nicht sehr schlau, im letzten Jahr zehn Zentimeter zu wachsen, dachte er und wunderte sich, dass er in solchen Momenten noch klar denken konnte. Er zog seine langen Beine noch enger an den Körper.

Aus Funkgeräten schnarrten knisternd und knackend Instruktionen: »Durchsucht den Keller.«

»Bestätigt.«

»Durchsucht den Garten.«

Trey begann zu schwitzen. Und wenn jemand den Befehl erhielt, die Veranda abzusuchen? Er versuchte jede einzelne Anweisung aufzuschnappen, alle auf einmal. Er lauschte auf Schritte, die die Veranda heraufkamen. Es war keine große Beobachtungsgabe vonnöten, um Trey zu finden. Was würde er tun, falls – nein, wenn – das geschah?

Steh auf und kämpfe, befahl sich Trey streng. *Gib dich nicht einfach widerstandslos auf. Mach dir den Überraschungseffekt zunutze. Sobald du jemanden kommen hörst, springst du auf und fängst an, um dich zu schlagen ...*

Und was dann? Glaubte er wirklich, er könnte gewinnen? Vielleicht konnte er *einen* der Uniformierten überraschen. Vorübergehend jedenfalls. Aber zwei? Drei? Fünfzig?

In der Nähe knarrte eine Diele. Genau so hatte die erste Stufe der Verandatreppe geknarrt, als Trey zur Haustür gegangen war. Sein Herz begann so heftig zu pochen, dass er glaubte, es müsse ihn verraten. Als wieder eine Diele knarrte und schließlich noch eine, hielt er die Luft an. Näher, immer näher ...

Er hielt den Kopf gesenkt, hatte ihn fast zwischen die Knie gesteckt. Doch die Ungewissheit war unerträglich. Daher beschloss Trey, der größte Feigling der Welt, dass es besser sei zu wissen, was auf ihn zukam. Langsam und vorsichtig hob er den Kopf.

Ein uniformierter Mann – nein, eigentlich war es noch ein Junge, kaum älter als Trey selbst – stand schweigend da und sah auf ihn herab. Treys Augen schienen mit einem Mal wie eine Kamera zu funktionieren und erfassten mit einem einzigen Blick jedes Detail im Gesicht des Jungen. Er hatte Sommersprossen auf der Nase und diese Tatsache allein erschien Trey so fehl am Platz, dass er einfach nur zurückstarren konnte.

»*Liber?*«, sagte der Junge seltsamerweise.

Trey stutzte. Konnte es sein, dass der Junge *Lateinisch* sprach?

»Frei?«, übersetzte er ungläubig.

Der Junge reagierte mit einem so unmerklichen Nicken, dass Trey sich fragte, ob er es sich nicht nur eingebildet hatte. Denn in diesem Moment hob der Junge sein Funkgerät und drückte auf einen Knopf an der Seite.

Das war's, dachte Trey und die Enttäuschung übermannte ihn. *Warum habe ich nicht gekämpft, als ich die Gelegenheit dazu hatte? Warum bin ich nicht weggerannt?*

Wahrscheinlich blieben ihm noch ein paar Sekunden, ehe der Junge die anderen Uniformierten herbeirief und sie auf die Veranda geschwärmt kamen. Doch Trey konnte sich nicht bewegen. Er konnte nur daran denken, was ihm das Davonrennen und Kämpfen einbringen würde. Er konnte die Schüsse förmlich hören, die fallen würden, konnte die Hände sehen, die ihn packen und auf ihn einschlagen, vielleicht sogar erschlagen würden.

Lieber lasse ich mich lebend fangen und bleibe ruhig und folgsam. Vielleicht bringen sie mich dann nicht gleich an Ort und Stelle um.

Nein, sie würden ihn lediglich foltern, um ihn dazu zu bringen, alle zu hintergehen, die er kannte. Egal, was geschah, Trey hatte keine Chance.

Dann hörte er, was der Junge in sein Walkie-Talkie rief.

»Veranda ist sauber«, sagte er. »Niemand hier.«

Sprachlos starrte Trey zu dem Jungen hinauf. Er war so verblüfft, dass er das Krächzen nicht verstand, das als Antwort aus dem Funkgerät drang.

»Bestätigt«, sagte der Junge. »Ich begebe mich sofort zum Suchtrupp im Garten.«

Er blieb gerade noch lange genug, um Trey einen letzten Blick zuzuwerfen und zu flüstern: »Bleib, wo du bist.« Dann machte er kehrt und ging.

Allmählich beruhigte sich Treys Herzschlag – zumindest reduzierte er sich auf das Tempo, das als normal gelten konnte, seit er aus dem Auto gestiegen war. Im Gegensatz zu jener mörderischen Frequenz, die sein Puls erreicht hatte, als der Junge auf der Veranda erschienen war. Fast fragte sich Trey, ob er das alles nicht nur geträumt hatte. Konnte er vor Angst so verrückt gewesen sein, dass er sich die ganze Begegnung nur eingebildet hatte?

Trey bezweifelte überhaupt so viel Fantasie zu besitzen.

Er konnte zusammenhanglose Satzfetzen hören – jemand verlangte nach einer Schaufel, ein anderer stöhnte, als er eine schwere Kiste zum Wagen schleppte. Die Suche dauerte fort, doch niemand betrat mehr die Veranda. Niemand sonst kam, um ihn zu suchen. Trey war so gelähmt vor Angst, dass er gar nicht anders konnte als dem Befehl des Jungen zu gehorchen.

Dann hörte er, zu seiner großen Überraschung, Türen zufallen, Motoren starten und Wagen davonfahren, diesmal jedoch langsamer. Das gedämpfte Dröhnen der Motoren hätte von Feuerwehrautos stammen können, die sich nach einem Brand entfernen. Trey horchte angestrengt – so sehr, dass es ihm in den Ohren rauschte. Trotzdem konnte er nicht feststellen, ob die Männer gefunden hatten, wonach sie suchten, oder nicht. Sie unterhielten sich über Frauen und darüber, die Zigarren zu rauchen, die sie in Mr Talbots Schrank gefunden hatten.

»Die sind so illegal wie nur was«, sagte einer laut.

»Stimmt. Wir müssen sie rauchen und die Beweise vernichten«, rief ein anderer zurück. »Das ist das Mindeste, was wir für einen alten Freund tun können.«

Darüber mussten die anderen Männer lachen, als wäre es eine absurde Vorstellung, dass einer von ihnen mit Mr Talbot befreundet sein könnte. Oder vielleicht verhielt es sich auch so, dass Mr Talbot geglaubt hatte, sie seien seine Freunde, obwohl sie es nicht waren.

Trey hatte noch nie durchschauen können, was Menschen eigentlich sagen wollten, wenn ihre Worte und deren Bedeutung nicht übereinstimmten.

Das nennt man Ironie, rief er sich in Erinnerung. *Ich habe keinen Sinn für Ironie. Das gebe ich zu. Okay, Dad? Bist du nun zufrieden?*

Er war derart in das innere Zwiegespräch mit seinem Vater vertieft, dass er den Moment verpasste, als der letzte Wagen davonfuhr. Stundenlang, so schien es, war das gesamte Anwesen der Talbots von Stimmen und Lärm erfüllt gewesen, von heiserem Gelächter und barschen Rufen. Doch nun senkte sich von einem Moment zum nächsten eine schaurige Stille über das Gelände. Wieder spitzte Trey die Ohren. Er riskierte einen weiteren Blick über den Blumenkübel. Soweit er sehen oder hören konnte, waren alle Wagen fort. Doch diesmal musste er sich nicht fragen, ob er sich alles nur eingebildet hatte, denn die uniformierten Männer hatten mehr als genügend Beweise für ihren Besuch hinterlassen: zertretene Blumen, Schleuderspuren auf dem Fahrweg, Löcher, die in scheinbar willkürlichem Abstand im ganzen Garten verteilt waren.

Trey ging wieder in Deckung.

Vielleicht bringt der Chauffeur jetzt Nina und die anderen zurück, überlegte er. *Vielleicht wusste er ja, dass die uniformierten Männer im Anmarsch waren. Dann wird er auch wissen, dass sie jetzt weg sind und dass er mit den anderen zurückkommen kann, um mich zu holen.*

Trey wollte lieber nicht darüber nachdenken, woher der Chauffeur über die Uniformierten hätte Bescheid wissen können. Und er wollte auch nicht daran denken, was das darüber aussagte, auf welcher Seite der Chauffeur vermutlich stand. Er wollte einfach nur gerettet werden.

Denn falls man ihn nicht retten würde, hatte er nicht die geringste Ahnung, wie es weitergehen sollte.

3. Kapitel

Es wurde dunkel.

Treys Kopf weigerte sich auszurechnen, wie lange er sich demnach hinter dem Blumenkübel versteckt hatte. Es war früher Morgen gewesen, als er beim Haus der Talbots angekommen war. Und jetzt brach die Dunkelheit herein. Er hatte also sehr, sehr lange gewartet.

Trey stellte sich vor, was geschehen würde, wenn er sich einfach nicht mehr vom Fleck rührte, falls ihn niemand holen kam.

Ich würde verhungern oder verdursten, dachte er. *Wie lange würde es wohl dauern, bis jemand meine Leiche entdeckt?* Vielleicht wäre er dann bereits ein Skelett. *Niemand würde wissen, wer ich bin.*

Trey jagte sich selbst Angst ein. Aber es musste sein. Er musste sich selbst überzeugen, dass es schlimmer war, weiter im Versteck zu hocken, als sich hinauszuwagen.

Du hast doch Hunger oder etwa nicht?, forderte er sich heraus. *Du kommst fast um vor Hunger. Du musst dir etwas zu essen besorgen.*

Doch sein Magen, im Laufe der Jahre an Hunger mehr als gewöhnt, erwiderte nur: *He, red mir doch nichts ein. Ich kann warten.*

Treys Beine waren stocksteif, nachdem er stundenlang in der gleichen Position ausgeharrt hatte. Vermutlich hatte er

23

einen Teil der Zeit geschlafen, überlegte er, doch es war ein seltsamer Schlaf gewesen, aus dem ihn jedes Geräusch, jede noch so kleine Bewegung – zum Beispiel ein am Himmel flatternder Vogel – sofort hellwach werden ließ. Trotzdem hatte er es geschafft zu träumen. Es waren seltsame Träume gewesen, in denen sein Vater wieder lebendig war, auf der Veranda stand und ihm ins Gewissen redete. Nur dass Treys Ohren im Traum nicht zu funktionieren schienen und er kein Wort seines Vaters verstehen konnte. Er konnte lediglich erkennen, dass sein Vater sehr besorgt war.

»Symbole«, murmelte Trey. »Träume sind häufig nur metaphorische Repräsentationen der Ängste des Träumers.«

Oder der Wünsche.

Verächtlich schnaubte Trey darüber, dass er imstande war, in einem Moment wie diesem über Symbole und Metaphern zu grübeln. Besser wäre es, er würde sich über *Taten* den Kopf zerbrechen, denn er brauchte einen Plan. Er schüttelte den Kopf, als könne das seinen Verstand von nutzlosen Worten, nachklingenden Träumen und Hirngespinsten befreien.

Wenn der Chauffeur mit Nina und den anderen zurückkommt ...

Das taten sie aber nicht. Und so, wie es aussah, würden sie es auch nicht mehr tun.

Wenn Mr Talbot zurückkommt ...

Nachdem man ihn in Handschellen abtransportiert hatte? Trey konnte sich noch immer keinen Reim darauf machen, was Mr Talbot widerfahren war – hatten ihn die Männer in Uniform verhaftet oder entführt? Auf jeden Fall aber begriff

Trey, dass er sich nicht länger an die Hoffnung klammern durfte, Mr Talbot werde seine Rettung sein.

Wenn Lee auftaucht ...

Ah. Hier war eine Hoffnung, auf die sich bauen ließ. Lee hatte gesagt, er werde seine Freunde bei Mr Talbot wiedersehen. Er hatte nicht gesagt, wann, aber er würde kommen, und wenn es so weit war, wollte Trey nicht zugeben müssen, dass er sich die ganze Zeit über auf der Veranda verkrochen hatte.

Es war also am Ende die Scham, die ihn aufstehen und die steifen Beine schütteln ließ. Er stieg seitlich von der Veranda hinunter, damit er gleich hinter einer Reihe Büsche neben dem Haus in Deckung gehen konnte. Im Schutz der Dunkelheit und des Gebüschs konnte er sich weiter einreden vor den Blicken anderer verborgen zu sein. Das gab ihm Mut, weiterzugehen und dem Verlauf des Fahrwegs zu folgen. Die Büsche schirmten ihn so gut ab, dass er immer weiterlief, selbst als es um eine dunkle Kurve ging.

Dann erblickte er eine riesige Garage, die sperrangelweit offen stand. Ein mattes Licht fiel auf zwei riesige Luxuskarossen und eine klaffende Lücke, in die ein dritter Wagen gehörte – besser gesagt, in der offensichtlich ein dritter Wagen gestanden hatte, bis am frühen Morgen Mr Talbot in ihm entführt worden war.

Trey sah sich weiter um. Er fühlte eine alberne kleine Welle des Stolzes in sich aufsteigen, dass er solch eine riesige Garage sofort zuzuordnen wusste. Dabei hatte er noch nie eine gesehen, außer auf Bildern. Und Bilder, das hatte Trey in der kurzen Zeit, die er außerhalb seines Verstecks lebte, längst gelernt, wurden ihrem Abbild nie gerecht. Im wirklichen Leben war alles größer. Beängstigender.

Irreparabler Schaden. Die Worten bohrten sich in Treys Bewusstsein, als hätten sie in der Garage auf ihn gewartet. Er hatte sie bei einem Streit seiner Eltern aufgeschnappt, der sich kurz vor dem Tod seines Vaters ereignet hatte.

»Der Junge hat irreparablen Schaden genommen«, hatte die Mutter den Vater angeschrien. »Er ist fürs Leben gehandikapt. Hat keine Chance, jemals ein normales Leben zu führen oder einen normalen Gedanken zu denken. Bist du nun zufrieden? Ist es das, was du wolltest?«

An dieser Stelle schob Trey die Erinnerung beiseite und wünschte, er hätte diesen Streit nie mit angehört, wünschte, sein Kopf hätte ihn sich nicht so genau eingeprägt. Seine Füße bewegten sich automatisch über den Garagenboden, hin zu der offen stehenden Tür, die ins Innere des Hauses führte. In seinem Kopf schien nur noch ein einziger Gedanke Platz zu haben: *Versteck dich drinnen. Drinnen kann man sich immer am besten verstecken.*

Der Raum, den er betrat, war dunkel, was Trey recht war. Durch das offene Garagentor fiel gerade genug Licht herein, um den Blick auf einen langen Gang freizugeben, von dem viele Türen abgingen. Sie waren alle geschlossen, sonst hätte Trey wohl nicht den Mut gehabt, an ihnen vorbeizugehen. Vorsichtshalber ging er dennoch auf Zehenspitzen.

Entweder waren Mr Talbot und seine Familie ungeheuer schlampig oder die uniformierten Männer hatten das Haus völlig verwüstet. Im Gang türmten sich Kleidung, Kissen und andere Gegenstände, die Trey ohne ausreichendes Licht nicht erkennen konnte. Er versuchte darüber hinwegzusteigen, doch es war schwer, eine freie Stelle auf dem Teppich zu finden, auf die er den Fuß setzen konnte. Die Gegenstände, denen er am schlechtesten ausweichen konnte, waren rund, schwarz und aus Metall. In der Mitte hatten sie Löcher – vielleicht waren es irgendwelche Räder? Warum hatten die Talbots so viele von ihnen? Trey stieß mit der Zehe gegen eine der Scheiben und konnte nur mit Mühe einen Schrei unterdrücken. Doch er schaffte es ohne ein Wimmern.

Stiller Schmerz ist schließlich mein Spezialgebiet, dachte er bitter und fast amüsiert.

Dann trat er versehentlich im falschen Winkel auf eine der Scheiben, so dass sie gegen eine andere stieß und ein dumpfes Klacken ertönte. Trey erstarrte. Bestimmt war das Geräusch zu leise gewesen, um jemanden aufmerksam zu machen. Bestimmt war niemand hier, der es hätte hören können. Bestimmt –

Ein Lichtstrahl erschien in Deckenhöhe, als ginge irgendwo eine Tür auf. Doch wie konnte es so hoch oben eine Tür geben? Und dann erschien eine Gestalt im Flur und ein Lichtkegel senkte sich tiefer und tiefer und tiefer ...

Direkt auf Trey.

Er ließ sich zu Boden fallen im Glauben, sich unter den Kleidern und Kissen vergraben zu können. Doch er erreichte damit nur, dass er gegen weitere Metallscheiben stieß, die ihm wehtaten und noch mehr Lärm verursachten.

Das Licht fand ihn.

Und am Ende des Ganges, hinter dem Licht, begann eine Frau zu schreien.

4. Kapitel

Die Schreie brachen ebenso abrupt ab, wie sie angefangen hatten.

»Schluss jetzt. Die Hysterische-Weiber-Nummer ist vorbei«, sagte eine Frauenstimme. »Ich bin ruhig und gelassen und habe alle Trümpfe in der Hand. Sie sollten wissen, dass diese Lampe gleichzeitig eine Pistole ist und dass ich eine gute Schützin bin. Also überlegen Sie es sich gut, ehe Sie irgendetwas unternehmen. Sind Sie einer von ihnen?«

»Einer von wen?«, fragte Trey. »Von wem, meine ich?«

»Wenn Sie schon so fragen, gehören Sie wohl eher nicht dazu«, überlegte die Frau laut. »Du liebe Zeit, dann sind die ersten Plünderer schon da.«

Der Strahl der Taschenlampe blendete ihn und Trey fürchtete, dass eine Kugel diesem Weg folgen könnte.

»Ich bin kein Plünderer«, sagte er nachdrücklich. »Ich bin – ich bin . . . ein Freund von Mr Talbot!«

Da lachte die Frau.

»Sicher. Wollen Sie mir wirklich einreden, George habe Freunde, denen seine Frau nie begegnet ist?«

Frau. Dann war sie also Mrs Talbot?

Trey entspannte sich ein wenig. Wenn diese Frau mit Mr Talbot verheiratet war, würde sie ihn nicht der Bevölkerungspolizei ausliefern. Aber wie konnte er sie dazu bringen, ihm zu vertrauen?

Sie ließ den Lichtstrahl für einen Moment aus seinem Gesicht fortwandern und vergewisserte sich, wie Trey merkte, dass er keine Waffe in der Hand hielt. Er hob langsam die Hände und hoffte dabei, dass es aussehen möge wie die internationale Geste für Kapitulation und friedliche Absichten.

»Also, *Freund*, was hast du hier verloren?«, fragte Mrs Talbot und lenkte den Lichtstrahl wieder in sein Gesicht. »Warum tauchst du ausgerechnet heute hier auf? Und warum schleichst du dich durch den Keller herein anstatt einfach an der Haustür zu klingeln?«

»Aber das habe ich doch!«, antwortete Trey verzweifelt. »Und dann habe ich gesehen, wie man Mr Talbot weggebracht hat, und bekam es mit der Angst zu tun, außerdem habe ich nicht erwartet, dass jemand hier ist, ich komme gerade von den Grants, wissen Sie –« Er konnte nur noch stammeln. Seine sonstige Sprachgewandtheit schien ihn völlig im Stich zu lassen.

»Den Grants?«, unterbrach ihn Mrs Talbot. Ihre Stimme stockte ein wenig. »Oh, Gott sei Dank! Warum hast du das nicht gleich gesagt? Ich hatte solche Angst. ... Ich hätte wissen müssen, dass die Grants herausfinden würden, was passiert ist, und dass sie jemanden schicken, um mir zu helfen. Ich bin ja so froh!«

»Ähm, Ma'am?«, sagt Trey. »Die Grants sind –« Trey brach ab. Selbst er merkte, dass dies vermutlich nicht der richtige Augenblick war, um ihr zu sagen, dass Mr und Mrs Grant tot waren, dass er ihre Ermordung in der vergangenen Nacht selbst miterlebt hatte und dass ihr Tod der Grund war, warum er sich Hilfe suchend zu Mr Talbot geflüchtet hatte.

Mrs Talbot schien dagegen zu glauben, dass er ihr helfen würde.

Und wenn nun alle auf der Suche sind nach jemandem, der sie rettet?, fragte er sich. Es war ein merkwürdiger Gedanke, den sein Kopf einfach nicht akzeptieren wollte. Er schien zu nichts zu passen, was er sonst noch wusste.

Doch Trey hatte keine Zeit, weiter darüber nachzudenken, denn mit einem Mal knipste Mrs Talbot die Taschenlampe aus und schaltete ein riesiges Deckenlicht an.

»Diese Dunkelheit ist mir unheimlich«, sagte sie. »Und überflüssig, wenn du wirklich von den Grants kommst.«

Bei Licht konnte Trey alles sehen. Die Scheiben, die er gegeneinander gestoßen hatte, waren Gewichte, die eigentlich zu einer Langhantel gehörten. An der gegenüberliegenden Wand waren verschiedene Geräte zum Gewichtheben aufgereiht, die man jedoch allesamt auseinander genommen hatte. Flaschenzüge hingen lose herum, Bänke waren aus der Verankerung gerissen – der Raum sah aus, als sei ein Orkan hindurchgefegt. Trey wandte den Kopf ab und blickte eine lange Treppe hinauf. Oben stand Mrs Talbot.

Und sie war ... wunderschön.

Trey hatte in seinem Leben noch nicht viele Frauen gesehen. Wenn er die Mädchen nicht mitzählte, hatte er im Grunde nur eine gekannt: seine Mutter, mit ihren tiefen Furchen um die Mundwinkel, den Sorgenfalten auf der Stirn und der Enttäuschung in den Augen. Sie hatte stets formlose Kleider getragen und nicht zusammenpassende, löchrige Pullover, immer einen über dem anderen, auf der ständigen Suche nach Wärme. Trey hatte angenommen, sie habe schon immer stumpfes, graues Haar gehabt; er hat sich sogar gefragt, ob sie vielleicht schon als kleines Mädchen grauhaarig gewesen war.

Mrs Talbots Haar war rot – so leuchtend und lebendig, dass Trey sich wunderte es nicht schon im Dunkeln gesehen zu haben. Ihr Gesicht war zart und glatt. Selbst der Schrecken darüber, in ihrem Keller einen Eindringling entdeckt zu haben, hatte ihrer Haut nur einen gesunden rosigen Schimmer verliehen. Und ihr Körper hatte Kurven … War sie nicht auch eine Mutter? So hatten Mütter doch nicht auszusehen, oder?

Trey wurde rot, doch er konnte gar nicht aufhören sie anzustarren.

»Also, was raten die Grants mir zu tun?«, fragte Mrs Talbot. »Ich bin in fünf Minuten reisefertig. Der Wagen ist gepackt. Wie schnell, glauben sie, können sie George rausholen?«

»Ma'am?«, sagte Trey und die Röte in seinem Gesicht vertiefte sich noch, weil ›Ma'am‹ für diese Frau ein viel zu matronenhafter Ausdruck war. »Sie haben mich nicht … ich meine – ich kann nicht –«

Mrs Talbots Hand schien die Taschenlampe ein wenig fester zu packen.

»Haben dich die Grants nun geschickt, um mir zu helfen, oder nicht?«, fragte sie scharf.

»Ich möchte Ihnen gern helfen«, erwiderte Trey. »Wirklich. Ich werde alles versuchen. Aber – ich weiß nicht, was ich tun soll.«

Trey spürte, wie sich die Last dieser Worte auf seine Schultern legte. Es war, als hätte er eine der Langhanteln aufgehoben, die zu seinen Füßen lagen. Er hatte gerade versprochen Mrs Talbot zu helfen – aber was würde das heißen? Und wenn er für sie die Verantwortung übernahm, wo endete sie? War er auch dafür verantwortlich, Mr Talbot zu helfen? Und Nina, Joel und John? Lee und Smits?

Wie viel leichter war es doch, nur an die eigenen Bedürfnisse zu denken, an das eigene Leben. Aber wie sollte er es über sich bringen, nicht zu helfen?

»Oh«, sagte Mrs Talbot und schien gegen den Türrahmen zu sinken. Zum ersten Mal begriff Trey, dass sie in Panik war, dass die Uniformierten ihr wahrscheinlich noch größere Angst eingejagt hatten als ihm. Schließlich war dies *ihr* Zuhause. Und es war *ihr* Mann, den man in Handschellen abgeführt hatte. »Haben dir die Grants denn überhaupt keine Anweisungen gegeben?«, fragte sie verzweifelt.

»Die Grants sind tot«, erwiderte Trey brüsk. Es wäre ihm wie eine Lüge erschienen, es ihr jetzt nicht zu sagen. »Sie wurden letzte Nacht auf einer Party von einem Mann namens Oscar umgebracht. Ich war da und habe es selbst gesehen.«

Und wieder lief das ganze bizarre Szenario vor Treys innerem Auge ab: Frauen in schimmernden Ballkleidern, Männer in Smokings, die Pistolen verbargen, Champagner in edlen Kelchen und ein Kronleuchter, der abgeschnitten wurde und herabstürzte...

»Tot?«, wiederholte Mrs Talbot. »Tot?« Ihre Augen füllten sich mit Tränen und sie sank auf die oberste Treppenstufe. »Meine Freunde«, murmelte sie.

»Sie schuldeten Ihnen Geld«, sagte Trey. Erstaunlicherweise hielt er immer noch den Packen Papiere in der Hand, den er von Mr Grants Schreibtisch genommen hatte. Jetzt winkte er Mrs Talbot damit zu, als wolle er sie daran erinnern, dass die Grants mehr als nur Freunde gewesen waren. »Sie haben Ihnen und Mr Talbot zweihundertfünfzigtausend Dollar geschuldet.«

Mrs Talbot zuckte mit den Achseln, als spiele Geld keine Rolle.

»So viele Tote«, murmelte sie und Trey erinnerte sich daran, dass auch die Tochter der Talbots – Jen, ein weiteres Schattenkind – ums Leben gekommen war. Und wenn Mrs Talbot nun anfing zu schluchzen oder zu jammern oder gar völlig hysterisch zu werden? Trey hatte wirklich keine Ahnung, was dann zu tun war. Doch Mrs Talbot schniefte nur kurz und beherrscht. Dann begann sie leise zu sprechen, wobei sie nicht Trey, sondern die nackte Wand gegenüber ansah.

»George hat gesagt, dass Gefahr droht«, berichtete sie. »Deshalb haben wir die Jungen im September aufs Internat geschickt. Für alle Fälle.«

Die Jungen? Erst da wurde Trey klar, dass Jen natürlich Geschwister haben musste, um ein illegales drittes Kind zu sein. Anscheinend waren es Brüder.

»Und George und ich haben geprobt. Für den Fall, dass sie ihn mitten in der Nacht holen kommen oder während des Frühstücks oder, oder, oder. Ich habe mich genau nach Plan verhalten. Genau so, wie ich es sollte. Ich habe mich in unserem geheimen Raum versteckt. Stundenlang. Weißt du, was ich dort drinnen gemacht habe? Ich habe mir die Zehennägel lackiert.« Mrs Talbot blickte zu Trey hinunter und zeigte ein leichtes Grinsen. »Das war meine bescheidene Art zu sagen, ihr könnt mir keine Angst einjagen. Doch als ich – als ich wieder herauskam, sah der Plan für mich vor, bei den Grants Hilfe zu holen. Hätte ich nicht den Fernseher eingeschaltet, dann wäre ich jetzt bei den Grants. Was hätte ich dort wohl vorgefunden?«

Trey versuchte nicht an das Bild der Zerstörung zu denken, das er hinter sich gelassen hatte.

»Was haben Sie im Fernsehen gesehen?«, fragte er. »Was hat Sie davon abgehalten zu fahren?«

»Wie?«, sagte Mrs Talbot. »Ach ja. Die Krawalle. Sie haben berichtet, dass in den Straßen Krawalle toben, deshalb dachte ich, ich könne genauso gut bis morgen warten.«

Krawalle? Trey und seine Freunde hatten auf ihrer Fahrt vom Haus der Grants zu den Talbots nichts dergleichen gesehen, aber es war schließlich mitten in der Nacht gewesen. Die Krawalle mussten bei Tag begonnen haben, nachdem man Mr Talbot verhaftet hatte und während er selbst und Mrs Talbot sich versteckt hielten. *Krawalle*, dachte Trey. Ein seltsames Gefühl begann in ihm aufzusteigen. Hoffnung.

Vielleicht ist es so weit. Es geht los. Vielleicht sind Krawalle der Weg, mit dem die Anführer des Widerstands die Regierung zwingen wollen, das Bevölkerungsgesetz zu ändern. Vielleicht sind dritte Kinder schon gar nicht mehr illegal. Vielleicht haben die Krawalle bereits etwas bewirkt.

So lange Trey ihn kannte, war sein Freund Lee fest entschlossen gewesen die Regierung zu stürzen, damit sich dritte Kinder eines Tages nicht mehr verstecken müssen und keine falschen Papiere mehr brauchen, um das Haus zu verlassen.

Vor Lee hatte Trey einen anderen Freund gehabt, Jason, der behauptet hatte das Gleiche anzustreben. Aber Jason hatte gelogen und das reichte aus, um Trey darüber nachdenken zu lassen, ob er überhaupt jemandem vertrauen konnte.

Aber jetzt, mit den Krawallen … Trey fiel etwas ein, das ihm noch mehr Hoffnung machte: Mr Talbot war ein Doppelagent. In der Öffentlichkeit gab er vor gegen Schattenkinder zu sein. Er arbeitete für die Bevölkerungspolizei, eine Einheit, die speziell für die Jagd auf dritte Kinder und diejenigen, die sie versteckten, gegründet worden war. Aber insgeheim sabotierte Mr Talbot seinen Arbeitgeber, indem er illegale Kinder rettete und ihnen falsche Papiere verschaffte. Falls das Bevölkerungsgesetz wirklich abgeschafft worden war, hatte die Regierung vielleicht beschlossen all diejenigen zu verhaften, die für die Bevölkerungspolizei arbeiteten. Also hatte man natürlich auch Mr Talbot verhaftet. Vielleicht mussten Trey, Lee und die anderen Freunde nur Mr Talbots wahre Überzeugung bekunden, um ihn zu retten. Vielleicht konnte Trey Mrs Talbot tatsächlich helfen.

Dann fiel ihm etwas anderes ein.

»Sie haben im Fernsehen von den Krawallen berichtet?«, fragte er ungläubig. »Aber das ist unmöglich. So etwas würden sie nie im Fernsehen zeigen.«

Trey selbst hatte noch nie einen Fernseher gesehen. Doch er hatte seinen Vater sagen hören, dass das Fernsehen ausschließlich Propaganda verbreite. »Kannst du dir vorstellen, dass sie einen Nachrichtensprecher jemals etwas Schlechtes über die Regierung sagen lassen?«, hatte der Vater die Mutter einmal provoziert. »Oder dass sie auch nur einmal etwas von sich geben würden, das unser Land nicht wie den Himmel auf Erden erscheinen lässt?«

Für Krawalle war im Himmel kein Platz.

Mrs Talbot schnaubte.

»Im offiziellen Fernsehen natürlich nicht«, sagte sie. »Aber in den Sendern für Barone.«

»Wie bitte?«, sagte Trey. Er hatte immer gewusst, dass die Regierung manchen Leuten besondere Privilegien einräumte. Die Barone, wie sie genannt wurden, waren reich, während alle anderen in Armut lebten. Sie hatten so viel zu essen, dass sie es sich leisten konnten, Nahrungsmittel wegzuwerfen, während die anderen sich für trockene Krusten abstrampeln mussten oder sich sogar noch auf verschimmelten Käse stürzten. Die Barone lebten in schönen Villen, während sich die übrigen Menschen auf engstem Raum zusammendrängten, ganze Familien in einem einzigen Zimmer.

Aber Trey hatte nicht gewusst, dass die Barone sogar eigene Fernsehprogramme empfingen.

»Du kannst doch nicht erwarten, dass wir den üblichen Veröffentlichungen trauen«, verteidigte sich Mrs Talbot. »Wir Barone brauchen ... Informationen, die andere Leute nicht brauchen.«

»Aber wie geht das?«, wollte Trey wissen. Er versuchte sich daran zu erinnern, wie Fernsehsignale übertragen wurden. »Wie gelangen die Signale zu bestimmten Fernsehgeräten und zu anderen nicht?«

»Mit einem speziellen Empfangsgerät, nehme ich an«, meinte Mrs Talbot achselzuckend. »Komm mit. Ich zeige es dir.«

Sie schien froh zu sein, über etwas so Alltägliches wie Fernsehen reden zu können statt über Tod, Gefahr und gescheiterte Pläne. Trey stand auf und ging die Treppe hinauf.

Unwirklich, dachte er. *Dieser ganze Tag war dermaßen unwirklich, dass ich nicht einmal mehr weiß, vor was ich Angst haben soll.*

Er folgte Mrs Talbot durch die Kellertür und einen langen Flur. Sie kamen in ein riesiges Zimmer, in dem mehrere breite Sofas und kleine Abstelltische standen. Vermutlich war es einmal ein schöner Raum gewesen, der nun, genau wie der Keller, verwüstet war. Nur der riesige Bildschirm, der den größten Teil einer der Wände bedeckte, schien noch intakt zu sein. Mrs Talbot stieg über einige aufgeschlitzte Kissen und nahm eine schwarze Fernbedienung von einem der kleinen Tischchen. Sie drückte auf einen Knopf und auf dem Bildschirm wurden graue, schwarze und weiße Punkte lebendig, die über die Mattscheibe zu tanzen begannen. Es war ein faszinierender Anblick, der Trey an einige bizarre Kunstwerke erinnerte, die er in Büchern gesehen hatte.

»Siehst du?«, sagte Mrs Talbot. »Die normalen Sender sind abgeschaltet. Was haben wir sonst noch?« Sie schaltete durch die Kanäle, wobei Momente flüchtiger Dunkelheit und wieder neue Muster aus wild gemischten Punkten entstanden. »Jetzt kommt der erste Baron-Sender.«

Sie drückte einen anderen Knopf und auf dem Bildschirm erschien ein Mann mit ernstem Blick.

»... toben praktisch in der ganzen Stadt«, sagte er gerade. »Wir empfehlen Ihnen bis auf weiteres zu Hause zu bleiben. Andere Nachrichten des Tages –«

Die Stimme des Mannes brach plötzlich ab, sein Gesicht verschwand und stattdessen erschienen wieder die Punkte. Trey sah zu Mrs Talbot hinüber, doch sie hatte den Kanal nicht gewechselt. Sie stand da und schaute genauso erstaunt wie Trey.

»Das ist seltsam«, murmelte sie. »Sie sind normalerweise so zuverlässig.«

Sie drückte einige weitere Knöpfe, zappte durch die Kanäle, doch keine der Stationen schien auf Sendung zu sein. Dann erschien das Gesicht eines anderen Mannes, zuerst wacklig und durchzogen von fließenden schwarzen Linien, dann wurde das Bild stabiler und füllte schließlich den ganzen Schirm aus. Mrs Talbot keuchte, doch Trey starrte so gebannt auf den Bildschirm, dass er sie kaum hörte.

»Guten Abend, liebe Mitbürgerinnen und Mitbürger«, sagte der Mann im Fernsehen. Er trug ein feines schwarzes Jackett mit einer goldenen Litze am Kragen und an den Ärmelaufschlägen. »Mit großer Freude kann ich Ihnen verkünden, dass die alte, korrupte Regierung von General Terus gemäß dem Willen des Volkes gestürzt wurde. General Terus wurde um neunzehn Uhr dreißig unter Arrest gestellt. Ich versichere Ihnen, dass meine Einheiten den Frieden im Land sehr bald wiederhergestellt haben werden. Die Situation ist unter meiner Kontrolle und ich verspreche Ihnen allen, meine treuen Bürgerinnen und Bürger, dass ich mich des in mich gesetzten Vertrauens würdig erweisen werde. Ich ...«

Trey verpasste die folgenden Worte, weil Mrs Talbot wieder begonnen hatte wie verrückt durch die Kanäle zu zappen. Der Mann mit der goldbesetzten Uniform lief auf allen Stationen.

»... Friede und Wohlstand ...«

»... zusammenarbeiten ...«

»... treuer Diener der Sache, an die ich immer geglaubt habe ...«

Durch die vielen Unterbrechungen konnte sich Trey den Sinn der Worte des Mannes kaum zusammenreimen. Doch das spielte keine Rolle. Er hatte genug gehört. Genug, um vor Freude ganz außer sich zu geraten.

»Es ist geschehen«, murmelte er. Dann schrie er: »Es ist geschehen! Ich bin frei! Alle dritten Kinder sind frei!«

Mrs Talbot warf ihm einen merkwürdigen Blick zu. Natürlich. Sie konnte ja nicht wissen, dass er ein illegales drittes Kind mit falschen Papieren war. Trey kümmerte das nicht. Er würde sich nie wieder darum kümmern müssen, wer die Wahrheit wusste und wer nicht.

»Junger Mann«, sagte sie ziemlich barsch. »Weißt du denn nicht, wer das ist?« Sie deutete auf den Fernsehbildschirm.

Trey unterbrach sich gerade lange genug, um einen Blick auf den Mann im Fernsehen zu werfen. Er hatte weißes Haar, einen Schnurrbart, dunkle Augen und dünne Lippen. Er kam Trey nicht im Geringsten bekannt vor. Trey war sich ziemlich sicher sein Gesicht noch nie im Leben gesehen zu haben.

»Nein«, sagte Trey. »Aber wen stört das? General Terus ist fort.«

»Oh. Es sollte dich aber stören«, erwiderte Mrs Talbot. »Dieser Mann dort«, sagte sie mit anklagender, zitternder

Stimme und zeigte wieder auf den Bildschirm, »dieser Mann ist Aldous Krakenaur.«

»Wer?«, fragte Trey.

»Der Chef der Bevölkerungspolizei«, sagte Mrs Talbot. Dann senkte sie den Kopf und begann zu schluchzen.

5. Kapitel

Trey war wie betäubt.

So ergeht es Menschen, wenn sie von einer Sekunde zur nächsten von Euphorie in Todesangst verfallen, dachte er und war fast erleichtert, dass wenigstens ein Teil seines Hirns noch funktionierte.

Er hatte sich immer für einen Pessimisten gehalten, hatte nie ganz an Lees rosige Träume von Freiheit für alle dritten Kinder geglaubt. Aber selbst er hätte niemals mit derart schlechten Nachrichten gerechnet.

»Sind Sie sicher?«, fragte er Mrs Talbot.

Sie unterbrach ihr Schluchzen gerade lange genug, um ihm einen vernichtenden Blick zuzuwerfen.

»Aber vielleicht...« Trey suchte nach einer Begründung, die ihm wenigstens einen Funken Hoffnung ließ. »Vielleicht ist er nicht schlimmer als General Terus. Der wollte schließlich auch schon alle Schattenkinder tot sehen. Was kann dieser – dieser Kerl denn noch mehr tun? Uns zweimal umbringen lassen?«

Mrs Talbot fuhr sich über die Augen und starrte Trey an.

»Aldous Krakenaur ist wahnsinnig. Er hasst dritte Kinder über alle Maßen«, sagte sie. »Er hat sich immer beklagt, dass General Terus für ihre Verfolgung nicht genügend Mittel bereitstellt. Und jetzt – jetzt wird er Haus für Haus durchsuchen lassen, in den Straßen den Verkehr anhalten und alle personenbezogenen Dokumente wieder und wieder auf Fälschungen überprüfen lassen. Kein drittes Kind wird das überleben.«

Mrs Talbots Worte ließen Trey das Blut in den Adern gefrieren, so dass er ihr abschließendes Flüstern fast überhört hätte: »Vielleicht ist es gut, dass Jen nicht mehr lebt.«

Auf dem Fernsehschirm lächelte Aldous Krakenaur.

»... und wir werden unserem Land gemeinsam wieder zu Größe verhelfen«, sagte er.

Mrs Talbot schleuderte die Fernbedienung gegen den Bildschirm. Das Glas zersprang und Funken sprühten. Dann war der Schirm dunkel und tot, wie der Rest des zerstörten Zimmers.

»Warum haben Sie das gemacht?«, jammerte Trey. »Jetzt können wir nicht mehr feststellen, was vor sich geht.«

»Ich will es gar nicht wissen«, sagte Mrs Talbot. »Ich weiß ohnehin schon zu viel.«

Sie ließ sich auf die nächste Couch fallen und starrte mit leerem Blick auf den zerstörten Fernseher. Trey stand unbeholfen herum. Im Umgang mit Menschen war er nie sonderlich gewandt gewesen, selbst unter idealen Bedingungen. Was um alles in der Welt sollte er jetzt nur tun?

Er schloss für einen Moment die Augen und alles, was er an diesem Tag mit angesehen hatte, schien noch einmal an ihm vorbeizuziehen. Mr Talbot, der die Haustür öffnete und Trey nicht wiedererkannte ...

Oder hat er mich doch erkannt? Wollte er mich vielleicht nur warnen und fortschicken – mich und den Rest meiner »Mannschaftskollegen«? Der Gedanke munterte Trey ein wenig auf, auch wenn die Warnung nichts geholfen hatte. Es war keine Zeit gewesen, etwas zu unternehmen, ehe Mr Talbot verschleppt wurde ...

Trey kam eine neue Idee.

»Mrs Talbot?«, sagte er. »Ich kann es Ihnen nicht verdenken, dass die Neuigkeiten über Aldous Krakenaur Sie aus der Fassung bringen. Ich meine, ich finde es gut, dass Sie ihn nicht an der Macht haben wollen. Aber ist das nicht ein Vorteil für Ihren Mann? Er arbeitet doch für die Bevölkerungspolizei und Aldous Krakenaur ist ihr Leiter ... Mr Talbot wurde vor dem Regierungswechsel deportiert. Müsste Aldous Krakenaur ihn jetzt nicht freilassen? Vielleicht hat er schon gehört, was ihm zugestoßen ist, und hat seine Freilassung bereits angeordnet. Vielleicht ist Mr Talbot bereits auf dem Weg nach Hause.«

Langsam wandte Mrs Talbot den Kopf und starrte zu Trey hinauf.

»Aldous hat George schon immer gehasst«, sagte sie. »Das Einzige, was George bei der Bevölkerungspolizei im Amt gehalten hat, war seine Freundschaft mit General Terus.«

»Mr Talbot war ein Freund des Präsidenten?« Trey war so erstaunt, dass er förmlich quiekte.

»Er hat so getan, als ob«, erklärte Mrs Talbot. »Aber jetzt ist General Terus fort ... Wahrscheinlich haben sie George heute Morgen verhaftet, damit er den Präsidenten nicht vor dem warnen konnte, was auf ihn zukommt.«

»Na ja, jetzt kann er ihn jedenfalls nicht mehr warnen – es sieht aus, als wäre der Coup vorbei«, meinte Trey. »Vielleicht lassen sie ihn frei, weil es wenig Zweck hat, ihn länger festzuhalten.«

Mrs Talbot begann wieder den kaputten Fernseher anzustieren.

»Du bist eben noch ein kleiner Junge«, sagte sie mit seltsam ruhiger Stimme, als spiele nichts mehr eine Rolle. »Alle Dritten sind so. So naiv und behütet. Verstehst du denn nicht? Wenn sie George jemals wieder rauslassen, dann einzig und allein in einem Sarg.«

Trey schluckte.

»Nein, das werden sie nicht«, sagte er mit mehr Überzeugung, als er tatsächlich empfand. »Sie können ihn retten. Und ich – ich werde Ihnen helfen.«

Was redete er da? Wenn Mrs Talbot sein Angebot nun annahm?

»Ich weiß nicht, wo sie ihn festhalten«, erwiderte Mrs Talbot mit der gleichen tonlosen Stimme.

»Dann finden Sie es heraus«, sagte Trey. Er wollte, dass Mrs Talbot aufhörte sich so seltsam zu benehmen. Er wollte, dass sie das Ruder in die Hand nahm und alles in Ordnung brachte. »Haben Sie denn keine Freunde bei der Bevölkerungspolizei?«, fragte er. »Jemanden, dem Sie vertrauen?«

Zuerst dachte Trey, Mrs Talbot habe seine Frage gar nicht gehört, doch dann sagte sie langsam: »Im Augenblick traue ich in diesem Land keiner Menschenseele. Nicht einmal dir. Woher soll ich wissen, dass du mich nicht über die Grants belogen hast?«

»Weil es nicht stimmt«, sagte Trey wütend. »Weil – warum sollte ich lügen?«

»Keine Ahnung«, sagte Mrs Talbot. »Ist mir auch egal.«

Sie stand plötzlich auf und schien ihre Benommenheit abzuschütteln. »Ich gehe jetzt. Leb wohl.«

Sie streifte ihn im Vorbeigehen. Und wieder einmal hatte Trey das Gefühl, im Stich gelassen zu werden.

Genauso hat Mom mich verlassen. ... Er schob den Gedanken augenblicklich weg.

»Warten Sie!«, rief er Mrs Talbot nach. »Wohin gehen Sie?«

»Das geht dich nichts an«, rief sie über die Schulter zurück.

»Kann ich ... kann ich mit Ihnen kommen?« Allein die Frage war demütigend, allerdings nicht demütigender als schweigend zurückgelassen zu werden.

»Nein«, sagte Mrs Talbot. Vor der Tür zum Keller und der sich anschließenden Garage blieb sie stehen. »Aber ich gebe dir einen Rat. Bleib nicht zu lange hier. Wenn Regierungen stürzen ... Sie werden das Haus hier nicht lange in Ruhe lassen. Kriegsbeute, verstehst du.« Sie sah sich um, als bemerke sie die Verwüstung erst jetzt. Sie streckte den Arm aus, um auf einem Bord in ihrer Nähe eine zierliche Kristallvase zu berühren, die der Zerstörung auf wundersame Weise entkommen war. Ein lieb gewonnenes Andenken, vermutete Trey. Vielleicht hat Mr Talbot sie ihr vor Jahren geschenkt und sie brachte es nicht über sich, sie hier zu lassen.

Dann nahm Mrs Talbot die Vase vom Bord und warf sie zu Boden. Sie zersprang in tausend kleine Scherben.

»So«, sagte Mrs Talbot grimmig. »Sollen sie sich bedienen. Sollen sie sich ruhig an allem bedienen.«

Sie ging durch die Tür und war verschwunden.

6. Kapitel

Trey versteckte sich.

Er musste darüber nicht erst nachdenken. Eben noch war er vor der Tür gestanden, die Mrs Talbot ihm gerade vor der Nase zugeworfen hatte, und jetzt kauerte er schon in einem Küchenschrank. Trey hatte ihn bemerkt, weil sämtliche Töpfe und Pfannen herausgeholt und auf den Boden geworfen worden waren. Ansonsten hätte er sich vielleicht in einem Kleiderschrank, unter einem Sofa oder hinter einem Bücherregal versteckt ...

Es war eng im Inneren des Schranks und er begann so sehr zu beben – nein, es war mehr ein Zittern, er zitterte vor Angst –, dass seine Ellbogen und Knie immer wieder gegen die Holzwände schlugen, die ihn einschlossen. Er hätte in ein anderes Versteck wechseln können, doch das hätte mehr Mut und Willen erfordert, als er besaß, nachdem er wieder einmal mitten in der Gefahr im Stich gelassen worden war.

Aber sie war so schön ..., dachte er elend und war dann wütend auf sich selbst. Warum sollte es einen Unterschied machen, ob man von einer schönen oder einer hässlichen Frau im Stich gelassen wurde?

Nein, verbesserte er sich. *Mom war nicht hässlich. Sie war einfach nur ... gebrochen.*

Von dieser Seite hatte er es noch nie betrachtet. Schließlich hatte auch sie Dad verloren. Sie hatte ihren Mann und alle Hoffnung verloren – was blieb ihr also noch im Leben?

Ich, dachte Trey grimmig und es war, als beantworte er eine Frage über sich selbst und nicht über seine Mutter. Sein Zittern ließ für einen Moment nach und das brachte ihn auf die Idee, dass sein Schwindelgefühl eventuell auch vom Hunger kam und nicht nur von der Angst.

Ich bin in einer Küche, sagte er zu sich selbst. *Wahrscheinlich gibt es direkt vor meiner Nase irgendetwas zu essen. Ich muss nur diese Schranktür aufmachen.* Wie dumm und feige war es, bibbernd herumzusitzen und zu hungern statt etwas zu essen.

Trey drückte die Tür einen Spalt weit auf. Im schwachen Schein, der vom Fernsehzimmer hereinsickerte, konnte er einen Kühlschrank erkennen. Er schob erst den einen Fuß heraus, dann den anderen, immer sorgsam darauf bedacht, den herumliegenden Töpfen und Pfannen auszuweichen. Dann zwängte er den restlichen Körper aus dem Schrank. Geduckt streckte er den Arm aus und zog den Kühlschrank auf.

Die plötzliche Helligkeit erschreckte ihn, dennoch griff er hinein und schnappte sich blindlings einige grellbunte Faltschachteln und Behälter. Das Essen fest an sich gedrückt huschte er zurück in den Schrank.

Da er bei geschlossener Tür nicht genug Platz hatte, um zu essen, riskierte er es, sie offen zu lassen. Auf diese Weise konnte er sogar sehen, was er aß. Ein Pappkarton enthielt Reis und irgendwelches geheimnisvolle Gemüse in einer würzigen Soße, die er förmlich aufsaugte. Außerdem hatte er drei

Plastikbecher mit Erdbeerjoghurt ergattert. Mit den Fingern konnte er den Joghurt schlecht essen, deshalb ließ sich Trey den Inhalt großenteils in den Mund laufen und leckte die Becher anschließend aus, so gut es ging.

Wie ein Tier, dachte er. *Ich benehme mich wie ein Tier.*

Er erinnerte sich an die Ansichten seines Vaters über Tiere. Vor vielen Jahren hatte er Trey und seiner Mutter eines Abends erzählt, dass er auf dem Heimweg von der Arbeit in einer Gasse wild lebenden Katzen begegnet sei, »solitären Streunern«. Obwohl Trey damals noch recht klein gewesen war, konnte er bereits Latein.

»Solitär?«, hatte er gefragt. »Kommt das von *solitus*, also ›gewöhnlich‹, oder von *solus* für ›einsam oder vereinzelt‹?«

Der Vater hatte Trey zärtlich das Haar zerzaust. Wenn Trey seine Lateinkenntnisse demonstrierte, wurde sein Vater immer zärtlich.

»Sehr gut, mein Kleiner!«, hatte er gesagt. »Das Wort kann in beiderlei Wortsinn gebraucht werden. Aber in diesem Fall bedeutet es Tiere, die ›allein umherschweifen‹. Früher einmal waren diese Katzen die Haustiere von irgendjemandem, aber jetzt leben sie wild und allein.«

Das faszinierte Trey. Den ganzen Abend lief er seinem Vater hinterher und löcherte ihn mit Fragen.

»Wie können die Katzen denn allein leben?«, erkundigte er sich, während der Vater seinen guten Mantel auszog – den mit nur einem einzigen Flicken auf dem Ärmel. »Wer füttert sie? Wer gibt ihnen Bücher zu lesen?« In Treys damaliger Welt waren Bücher ebenso wichtig wie Essen. Und nur von den Büchern gab es reichlich.

»Tiere lesen keine Bücher«, erklärte der Vater. »Sie sind nicht wie Menschen. Für Tiere steht das Überleben im Mittelpunkt ihres Daseins – sie fressen und ... und vermehren sich. Was uns Menschen von den Tieren unterscheidet, ist – unsere Fähigkeit zu logischem und vernunftgesteuertem Denken. Dass wir nach mehr streben als nur zu überleben.«

Dann hatte der Vater einen bedeutungsvollen Blick mit der Mutter gewechselt. Und genau aus diesem Grund war Trey die ganze Unterhaltung im Gedächtnis geblieben. Er hatte diesen Blick nicht verstanden.

Als er jetzt daran zurückdachte, empfand er Scham. Wie sehr würde sein Vater sich schämen, wenn er Trey jetzt sehen könnte. Er dachte weder logisch noch vernunftgesteuert, er versuchte einfach nur zu überleben.

Aber Dad, du hast mir nie eine Antwort darauf gegeben, wer sich um diese Katzen kümmert, dachte er vorwurfsvoll.

Trey zerdrückte die drei Joghurtbecher und stopfte sie in den Pappkarton, in dem der Reis und das Gemüse gewesen waren. Mutig kroch er zu einem Abfalleimer hinüber und warf den Müll hinein. Dann hastete er zurück in seinen Schrank und zog die Tür hinter sich zu.

Okay, ich kann wieder denken. Was soll ich jetzt nur tun?
Er fühlte sich hin- und hergerissen.

»Bleib, wo du bist«, hatte der uniformierte Junge auf der Veranda zu ihm gesagt. Warum? Warum hatte ihn der Junge nicht gemeldet? Konnte Trey seinem Rat vertrauen?

»Ich werde alles versuchen, um Ihnen zu helfen«, hatte Trey Mrs Talbot versprochen. War dieses Versprechen durch ihr Verschwinden nun hinfällig geworden?

»Ich werde Mr Talbot alles erzählen«, hatte Trey Lee versprochen. Aber inzwischen konnte er sich nicht einmal mehr daran erinnern, wo die Papiere von Mr Grants Schreibtisch abgeblieben waren, die er Mr Talbot hatte zeigen wollen.

»Ich werde auf Lee aufpassen«, hatte Trey Mr Hendricks versprochen, bevor er gestern zur Party der Grants aufgebrochen war – war es wirklich erst gestern gewesen? Er hatte das Gefühl, es sei hundert Jahre her.

Mr Hendricks. Natürlich. Warum hatte Trey nicht eher an ihn gedacht?

Mr Hendricks war der Direktor von Treys Schule. Er hatte als junger Mann einen schrecklichen Unfall gehabt und beide Unterschenkel verloren. Seitdem saß er im Rollstuhl. Als Trey und seine Freunde in der vergangenen Nacht Zeugen eines Mordes geworden waren, hatten sie in ihrer Angst vor dem bulligen Killer nicht einen Moment daran gedacht, bei einem behinderten Mann Hilfe zu suchen.

Tut mir ehrlich Leid, dachte Trey, als könne Mr Hendricks seine Gedanken hören. *Dabei sind Sie viel zuverlässiger als Mr Talbot. Und klüger.*

Alles, was Trey brauchte, war ein Telefon. Er würde aufpassen müssen, was er sagte – die Bevölkerungspolizei zapfte die Telefonleitungen an –, aber er konnte seine Worte verschlüsseln. Und dann würde Mr Hendricks jemanden schicken, der ihn abholte und auch Lee, sobald er kam. Es war ganz einfach.

Einen Moment lang erwog Trey im Schrank auf die Ankunft von Lee zu warten – sollte er doch den Anruf übernehmen. Sollte sich Lee überlegen, wie man die Botschaft »Bitte holen Sie uns auf der Stelle von hier weg!« in den Ohren heimlicher Lauscher harmlos und nebensächlich klingen ließ. Sollte Lee sich doch um alles kümmern.

Doch noch während ihn die vertraute Scham überflutete, dachte Trey: *Nein, ich muss es tun.* Mrs Talbot hatte ihn gewarnt, dass jemand von der neuen Regierung sich das Haus der Talbots unter den Nagel reißen könnte. Was war, wenn Trey nun zu lange herumtrödelte und auf Lee wartete, bis die Regierung – wegen ihm – am Ende beide Jungen erwischte?

Ich schaffe das, machte sich Trey selbst Mut. Er hatte zwar noch nie ein Telefon benutzt, wusste aber, wie es funktionierte. Er konnte die Auskunft anrufen und nach der Hendricks-Schule fragen. ... Die einzige Schwierigkeit bestand darin, genug Mut aufzubringen, um den Schrank zu verlassen.

Vielleicht gibt es in der Küche ein Telefon, sagte sich Trey. *Dann muss ich gar nicht weit laufen.*

Dieser Gedanke trieb ihn aus dem Schrank. Wieder bahnte er sich einen Weg um Töpfe und Pfannen herum und kroch über den Fußboden. Sein Schrank – er betrachtete ihn jetzt sehnsuchtsvoll als »seinen« Schrank – befand sich unter einer Arbeitsplatte in der Mitte der Küche. Er umkreiste diese Insel und starrte auf jeden Küchenschrank und zu jeder Wand hinauf. Manchmal hingen Telefone doch an der Wand, oder nicht?

Doch die Arbeitsplatten waren bedeckt mit Bergen von Papier, so dass die Wände nicht zu sehen waren. Ein Schrank stand offen und eine Lawine aus Lebensmittelkartons ergoss sich auf den Fußboden. Trey widerstand dem Drang, innezuhalten und sich ein paar der herausgefallenen Frühstücksflocken in den Mund zu stopfen.

Siehst du, Dad?, dachte er bei sich. *Ich bin kein Tier.*

Er unterdrückte seine Angst und ging ins Fernsehzimmer hinüber, wo noch immer Licht brannte.

Die Vorhänge sind geschlossen, beruhigte er sich. *Du bist hier immer noch sicher. Keiner kann dich sehen.*

Er durchquerte den Raum, stieg über das zerbrochene Glas und die aufgeschlitzten Kissen.

Er fand das Telefon auf dem Boden unter der Couch. Er zog es mit Leichtigkeit hervor – den festen Plastikhörer, die spiralförmige Schnur, die –

Mehr kam unter der Couch nicht hervor. Man hatte die spiralförmige Schnur durchgeschnitten.

Wider alle Logik hielt Trey den Hörer ans Ohr. Er lauschte dem Rauschen leerer Luft, der toten Verbindung zur Außenwelt.

Die Verzweiflung weckte seine Kühnheit. Er durchsuchte das ganze Haus und fand vier weitere Telefone und ein Computermodem.

Alle mit durchschnittenen Kabeln.

Mit dem letzten Telefon in der Hand begann Trey in einem Schlafzimmer im Obergeschoss zu wimmern, genau wie ein verwundetes Tier.

Jetzt hängt alles von dir ab, Lee, dachte er. *Bitte komm bald. O bitte, bitte, komm bald.*

7. Kapitel

Aber Lee kam nicht. Mehrere Tage vergingen und Trey wartete geduldig, doch er hörte weder die Türglocke noch ein Klopfen oder eine fröhliche Stimme, die rief: »He! Wo steckt ihr denn alle?«

Trey war sich vage bewusst, wie froh er sein konnte, dass auch sonst niemand aufgetaucht war – keine weiteren Männer in Uniform, keine Familienangehörigen, die soeben die Erlaubnis erhalten hatten, das Haus der Talbots zu okkupieren. Doch es fiel ihm schwer, zu warten und sich ständig zu fragen, was mit seinen Freunden geschehen war, mit Mr und Mrs Talbot, ja, mit dem ganzen Land.

Der Chef der Bevölkerungspolizei ist jetzt an der Spitze der Regierung, sagte er sich einmal mehr. *Was glaubst du wohl, was draußen vor sich geht? Friede, Freude, Eierkuchen?*

Die meiste Zeit über befand sich Trey im gleichen, fast panikartigen Zustand wie vor knapp einem Jahr, als er darauf gewartet hatte, dass seine Mutter von der Beerdigung des Vaters zurückkehrte. Er war so verwirrt und voller Trauer gewesen, dass er nicht einmal lesen konnte, und immer wieder hatte er versucht sich vorzustellen, wie das Leben ohne den Vater weitergehen würde.

Wird Mom mir jetzt Latein, Französisch und Griechisch beibringen?, fragte er sich. *Wird sie sich jetzt abends mit mir unterhalten statt böse vor sich hin zu starren, während ich hinter den Büchern sitze?* Zwischen den Angstattacken hatte Trey fast so etwas wie Hoffnung verspürt und sich vorgestellt, dass seine Mutter sich endlich um ihn kümmern, ihn lieben würde, wie Mütter es in Büchern taten.

Nicht im Traum hätte er sich vorgestellt, dass sie ihn sich vom Hals schaffen würde.

Und nun wanderte er ziellos durch das riesige Haus der Talbots und zerbrach sich den Kopf über Lee.

Hat er seine Freunde völlig vergessen? Hat er vergessen, dass er um jeden Preis die Schattenkinder befreien wollte? Oder hat er solche Angst vor der neuen Regierung, dass er sich nicht mehr in die Öffentlichkeit wagt?

Es war die letzte Frage, die Trey am meisten beunruhigte. Wenn sogar Lee sich fürchtete, dann sollte Trey erst recht die Angst im Nacken sitzen, ja, er sollte Todesängste ausstehen.

Und manchmal tat er das auch.

Am dritten Tag wurde das Haus der Talbots vom Stromnetz abgehängt. Es geschah in der Abenddämmerung, genau in dem Moment, als Trey sich fragte, ob er die Lichter, die er angelassen hatte – eines im Fernsehzimmer, ein anderes im Keller –, eher behaglich oder bedrohlich fand. Von einer Sekunde auf die nächste waren das Licht, das Brummen des Kühlschranks und das Surren der Klimaanlage verschwunden.

Vorsichtig schlich Trey zu einem Fenster und spähte hinaus. Die gesamte Nachbarschaft lag im Dunkeln – jedes einzelne der riesigen Häuser in der Straße war in tiefes Schwarz getaucht.

Sie wirkten allesamt wie ausgestorben.

Trey schlich in den hinteren Teil des Hauses, zu einem Fenster im Fernsehzimmer. Nur ein einziges kleines Haus befand sich hinter dem der Talbots. Es lag ebenfalls im Dunkeln, doch noch während Trey hinüberstarrte, sah er drinnen ein schwaches, flackerndes Licht wie von Kerzen aufleuchten, das in einem kleinen Raum Schatten warf.

An der Hintertür des kleinen Hauses stand eine Frau und neben sie trat ein Junge. Er sagte etwas zu ihr und sie nickte. Dann sprang der Junge zur Tür hinaus, durch den Garten und verschwand in einem anderen Gebäude – einer Scheune vielleicht? –, das schräg gegenüber stand.

Trey blinzelte. Vielleicht spielten ihm seine Augen einen Streich oder das schwache Dämmerlicht hatte ihn getäuscht.

Oder der Junge war tatsächlich jemand, den Trey kannte. Nicht Lee – in diesem Fall wäre Trey sofort freudeschreiend aus dem Haus gestürzt. Nein, er hatte geglaubt Smits Grant zu erkennen, den Jungen, den Lee in Sicherheit gebracht hatte.

Und wo Smits war, da musste auch Lee sein.

Oder etwa nicht?

8. Kapitel

Trey ging äußerst strategisch ans Werk.

Als Erstes vertilgte er aus dem abgeschalteten Kühl- und Gefrierschrank so viel Essen, wie er nur konnte, bevor es verdarb. Er trank fast dreieinhalb Liter Milch, verschlang eine Tiefkühlmahlzeit und zwang einen halben Liter Eiscreme hinunter – eine Delikatesse, die er noch nie zuvor gegessen hatte und die nach den ersten beiden Löffeln widerlich süß schmeckte. Er aß sie trotzdem.

Dann richtete er neben dem Fenster im Fernsehzimmer einen Ausguck ein. Falls der Junge doch nicht Smits sein sollte, wollte Trey sich nicht verraten. Wenn aber Smits und Lee sich tatsächlich die ganze Zeit über in dem Haus hinter dem der Talbots aufgehalten hatten ... nun, dann wollte Trey so schnell wie möglich dort hinüber.

Der Junge blieb lange in der Scheune.

Als er schließlich wieder herauskam, war es zu dunkel für Trey, um mehr als eine schemenhafte Gestalt erkennen zu können. Die Enttäuschung ließ ihm die Kehle eng werden, doch er zwang sich ruhig sitzen zu bleiben und weiter hinüberzusehen.

Der Junge betrat das Haus, dessen Fenster immer noch von Kerzen erhellt wurde. Vielleicht konnte Trey im Kerzenlicht etwas erkennen –

Jemand ließ die Jalousien herab.

Trey war so frustriert, dass er mit einem Tritt einen der wenigen Abstelltische umschmiss, die die Uniformierten stehen gelassen hatten.

Kurz darauf kam der Junge wieder nach draußen. Trey war sicher, dass es der gleiche Junge war. Er stand im Türrahmen und schien über die Schulter mit jemandem zu sprechen, den Trey nicht sehen konnte.

Er wagte es, das Fenster des Fernsehzimmers einen Spaltbreit zu öffnen. Wenn er schon nichts sehen konnte, dann war vielleicht wenigstens etwas zu hören. Wenn es doch nur Lees Stimme wäre ...

Kaum vernehmbar hörte Trey jemanden rufen: »... zu spät im Jahr für Glühwürmchen.«

Und der Junge im Türrahmen rief zurück: »Nein, das stimmt nicht. Ich sehe eines. Da!« Er zeigte auf einen winzigen Lichtpunkt über einem Busch bei der Scheune.

Trey konnte nicht erkennen, ob die Stimmen zu Smits und Lee gehörten, sie waren zu weit entfernt. Außerdem funktionierte sein Gehör nicht besonders gut – im Moment wurde jedes Geräusch, das seine Ohren aufnahmen, von seinen Ängsten und Hoffnungen verzerrt.

Es würde ihm nichts anderes übrig bleiben als hinüberzugehen und sich zu vergewissern, ob der Junge tatsächlich Smits war.

Tapfer trat Trey vor die Glasschiebetür neben seinem Spionagefenster. Mit zitternden Fingern entriegelte er sie und schob sie auf. Dann holte er tief Luft, öffnete die nur angelehnte Fliegengittertür und trat ins Freie.

Die Nachtluft fühlte sich kühl und bedrohlich an. Trey ver-

zog das Gesicht und sagte sich, dass die Dunkelheit ihn beschützen würde und dass ihm im Freien auch nicht mehr Gefahr drohte als im Innern des Talbot-Hauses.

Wahrscheinlich ist es hier sogar sicherer, sagte er sich.
*Wenn jemand Gefährliches aufgetaucht wäre, hättest du
drinnen schön in der Falle gesessen.*

Während er weiterschlich, ließ Trey den Jungen nicht aus
den Augen. Er rannte jetzt im Garten hin und her und verfolgte einen winzigen Lichtpunkt, der immer wieder auf-
glühte und erlosch. Trey erreichte eine Baumreihe, die den
Garten der Talbots von dem des Jungen abtrennte. Trey kniff
die Augen zusammen und gab sich redlich Mühe zu erkennen,
ob es sich bei dem Jungen um Smits handelte, doch dieser hob
sich vor den Lichtern im Haus nur als dunkle Silhouette ab.

Falscher Blickwinkel, dachte Trey. *Solange der Junge zwischen mir und dem Licht steht, kriege ich ihn niemals richtig
zu Gesicht. Das ist genau wie bei der Sonnenfinsternis.*

Froh darüber, dass ihm sein Wissen wenigstens einmal von
Nutzen war, kroch Trey dichter an die Scheune heran und
kauerte sich hinter ein Gebüsch. Er war jetzt näher am Licht,
aber es war immer noch nicht hell genug, um das Gesicht des
Jungen preiszugeben, unabhängig davon, an welcher Stelle
des Gartens er sich befand. Plötzlich huschte der Junge direkt
an Treys Versteck vorbei. Ohne nachzudenken streckte Trey
den Arm aus und packte ihn.

Der Junge schrie auf. Trey legte ihm die Hand auf den
Mund und drückte ihn gegen die Seitenwand der Scheune.

»Smits!«, zischte er dem Jungen ins Ohr. »Bist du Smits
Grant?«

Der Junge schüttelte heftig den Kopf. Trey zog die Hand ein kleines Stück zurück.

»Nein! Ich bin Peter Goddard! Ich bin – Hilfe!«

Wieder hielt Trey ihm den Mund zu. Ganz egal, wie sehr er es abstreiten mochte, dieser Junge war Smits; Trey hatte seine Stimme wiedererkannt. Jetzt musste er nur noch dafür sorgen, dass Smits *ihn* wiedererkannte.

»Ist ja schon gut, Smits! Ich bin's – Trey. Ich bin auf der Suche nach Lee –«

Aus dem Nichts fuhr ihm unvermittelt eine Faust ins Gesicht. Trey verlor das Gleichgewicht, stürzte durch die Zweige des Gebüschs zu Boden und zog Smits mit sich.

»He, Peter«, sagte eine tiefere Stimme über ihnen. »Macht der Typ dir etwa Probleme?«

Trey sah zu der dunklen Gestalt auf, die bedrohlich über ihm aufragte. Dass er das Gesicht des Jungen – oder des Mannes? – nicht sehen konnte, ließ ihn irgendwie noch gefährlicher erscheinen.

»Wer sich mit Peter anlegen will, muss es zuerst mit mir aufnehmen«, fuhr die Stimme fort.

Voller Angst kauerte sich Trey auf der Erde zusammen.

»Nein, nein, das ist ein Missverständnis«, flehte er. »Ich kenne Smits. Oder Peter – oder wie immer er sich jetzt nennt. Ich will von ihm nur wissen, wo einer meiner Freunde ist. Komm schon, Smits, du wirst dich doch wohl an mich erinnern. ...«

Trey sah, wie der Mensch über ihm erneut ausholte. Er zuckte zusammen, wartete auf den unvermeidlichen Schmerz, während Smits sich von ihm freizumachen versuchte. Trey schaffte es, ihm buchstäblich bis zum letzten Moment den Mund zuzuhalten, ehe er loslassen musste, um mit beiden Händen sein Gesicht zu schützen.

In diesem Moment rief Smits: »Warte, Mark! Nicht schlagen! Er ist wirklich ein Freund von Lee. Und von mir.«

Trey wagte einen Blick durch die Finger. Die wuchtige Gestalt über ihm – Mark? – hatte die Faust sinken lassen.

»Ein Freund? Warum hast du das nicht gleich gesagt?«, brummte Mark.

»Weil Trey mir den Mund zugehalten hat und ich nichts sagen konnte«, stellte Smits sachlich fest.

Na, bravo, dachte Trey. *Ich halte Smits den Mund zu und bringe mich damit fast selbst um.* Er fühlte sich mit einem Mal völlig erschöpft. *Nachwirkungen eines Adrenalinstoßes*, sagte er sich.

»Hört mal«, schaffte er es gerade noch zu sagen, »Lee kann alles aufklären. Sagt ihm einfach, er soll herauskommen, dann kann er es erklären.«

Smits setzte sich auf. Der Mond musste kurz zuvor aufgegangen sein und etwas von seinem Licht fiel auf Smits' Gesicht. Selbst in diesem schwachen Schein konnte Trey erkennen, dass er völlig verblüfft aussah.

»Aber Trey«, sagte Smits, »ich dachte, Lee wäre bei dir. Gleich am ersten Tag ist der Chauffeur gekommen und hat ihn abgeholt.«

9. Kapitel

Trey fühlte sich, als habe ihm Mark tatsächlich einen zweiten Schlag versetzt. Er sank auf den harten Erdboden zurück und begann zu stöhnen.

»O neieieiein ...«

»Was hat er denn?«, fragte Mark.

»Keine Ahnung«, sagte Smits. »Hör auf damit, Trey! Du machst mir Angst.«

Trey kümmerte sich nicht darum. Warum sollten die anderen nicht ebenso viel Angst haben wie er? Erst als Mark ihm eine Ohrfeige gab, verstummte er überrascht.

»He!«, staunte Mark. »Das funktioniert ja wirklich, wenn jemand hysterisch ist. Ich hab das schon immer mal ausprobieren wollen.«

Er klang so fröhlich, dass Trey am liebsten zurückgeschlagen hätte.

»Ist dort draußen alles in Ordnung?«, rief eine Männerstimme aus dem kleinen Haus.

»Alles klar, Dad«, brüllte Mark zurück. »Wir albern nur ein bisschen rum. Wir verziehen uns jetzt in die Scheune, dann wirst du nicht mehr gestört.«

Er schob Smits und Trey zu einer Tür und Trey fragte sich, ob er sich nicht lieber wehren sollte – vielleicht war dieser Mark sogar gefährlich? –, doch seine Energie reichte nicht aus, um Widerstand zu leisten.

»Mutter und Vater sind im Moment völlig neben der Spur wegen der Nachrichten«, erklärte Mark. »Und gegen Fremde haben sie sowieso was. Besser, sie wissen nix von dir.«

Trey schwieg, während sie die Scheune betraten und Mark die Tür hinter ihnen zuzog. Es war so dunkel, dass Trey befürchten musste ohne das geringste Warnzeichen gegen die nächstbeste Wand zu laufen. Er blieb so dicht wie möglich bei der Tür.

»Ich weiß, dass Dad hier irgendwo eine alte Laterne hat«, murmelte Mark. »Ah, da ist sie ja.«

Er zündete ein Streichholz an. Ein Licht flackerte auf und leuchtete dann schwach und gleichmäßig. Jetzt konnte Trey Hacken und Mistgabeln erkennen, die an der Wand standen. Die Laterne warf bizarre Schatten und ließ die Mistgabeln riesig und unheimlich aussehen. Er war zwar noch nie in einer Scheune gewesen, aber diese hier schien geradewegs seinem schlimmsten Alptraum entsprungen zu sein.

»Okay«, sagte Mark so sorglos, als würden sie gerade in einer gemütlichen Stube eine Tasse Tee miteinander trinken. »Was findest du so schlimm daran, dass Lu– äh, Lee mit dem Typ im Luxusschlitten weggefahren ist?«

Jetzt, wo sie drinnen waren – auch wenn dieses Drinnen Furcht erregend war –, bemerkte Trey, dass Mark kaum größer war als er selbst und vermutlich auch nicht viel älter. Er war kein klotziger Muskelprotz, kein schreckliches Monster – sondern ebenfalls ein Junge. Er hatte sogar einen leichten Akzent, der Trey an Lee erinnerte.

Ob Mark Lees echter Bruder war?

»Du kannst ihn vor Trey ruhig Luke nennen«, sagte Smits.

»Trey weiß, dass Luke nur vorgetäuscht hat Lee zu sein. Du bist auch ein Schattenkind, stimmt's, Trey?«

Trey erstarrte. Wie konnte Smits nur so leichtfertig darüber reden? Lee war Treys bester Freund, aber selbst ihm hatte sich Trey niemals wirklich offenbart und frank und frei eingestanden: »Ich bin ein illegales drittes Kind mit gefälschten Papieren. Und du doch auch, Lee. Wenn du mir deinen richtigen Namen verrätst, sage ich dir meinen.« Trey hatte *nicht* gewusst, dass Lee in Wirklichkeit Luke hieß. Zwischen ihm und Lee gab es ein stilles Übereinkommen: Sollte sich einer von ihnen versprechen und auch nur eine Winzigkeit über sein wirkliches Leben preisgeben – sei es seine wahre Familie, die wahre Vergangenheit oder den wahren Namen –, würde ein echter Freund nur nicken und einfach kommentarlos darüber hinweggehen.

»Welche Frage willst du jetzt beantworten?«, fragte Mark. »Meine oder die von dem Kleinen?«

Trey sah von Mark zu Smits und sagte: »Ich glaube, Lee ist in Gefahr.«

Smits verzog das Gesicht, als wolle er anfangen zu weinen. Mark lehnte sich einfach gegen Wand und gab mit seiner Haltung zu verstehen: »Nichts, was du sagst, macht mir etwas aus.«

»Warum?«, fragte er herausfordernd.

Hastig berichtete Trey, was sich zugetragen hatte, nachdem er bei den Talbots angekommen war: dass der Chauffeur ihn im Stich gelassen und die anderen Kinder gekidnappt hatte.

»Er muss gleich danach hier vorbeigekommen sein und Lee

mitgenommen haben«, endete Trey. »Warum hat ihn niemand aufgehalten?«

Nun sah auch Mark besorgt aus. Er antwortete nicht.

»Der Chauffeur hat Lee nicht gekidnappt«, sagte Smits mit kläglicher Stimme. »Lee *wollte* fort. Der Chauffeur ist hier vorgefahren, stehen geblieben und hat mit Lee geredet und dann kam Lee ins Haus und hat gesagt, dass er sofort wegmuss.«

Aus Smits' unglücklicher Miene schloss Trey, dass Lees Fortgehen zumindest für ihn ein wenig komplizierter gewesen war als das. Unabhängig davon, was in seinem gefälschten Ausweis stand, war Smits ein echter Grant, aufgewachsen in unvorstellbarem Reichtum. Doch der Tod seines Bruders und dann seiner Eltern hatte ihn zutiefst verstört. Lee war für ihn ein Ersatzbruder. Wahrscheinlich hatte Smits geweint, als Lee fortging.

»Er ist weg, während ich in der Schule war«, erzählte Mark. »Eigentlich hat Luke mir gesagt, er wäre noch da, wenn ich wiederkomme. Also warum ist er dann so schnell verschwunden?«

Man hörte den Schmerz in Marks Stimme. Er drehte das Gesicht in den Schatten, als wolle er nicht, dass Trey oder Smits seinen Kummer bemerkten.

Vielleicht hat sogar der hartgesottene Mark geweint, als Lee fortging, überlegte Trey. *Um mich hat noch nie jemand geweint.*

»Glaubst du, der Fahrer hat Luke reingelegt?«, fragte Mark wütend, als habe er fest vor, seinen ganzen Schmerz in Wut umzuwandeln. »Ihm weisgemacht, dass er um jeden Preis fortmuss?«

»Ja«, flüsterte Trey.

Sein Flüstern schien in der stillen Scheune widerzuhallen. Die Laterne flackerte und ließ die Schatten noch unheimlicher über die Wände tanzen.

»Luke ist zum Haus der Grants zurückgefahren«, sagte Mark mit versteinertem Gesicht und fast ebenso ausdrucksloser Stimme.

»Wirklich?«, sagte Smits. »Das wusste ich gar nicht.«

In seinem Gesicht sah Trey die ganze Qual und Angst des Jüngeren.

»Ich hab Mutter und Vater darüber reden hören«, gestand Mark. »Sie wussten nicht, dass ich zuhöre. Warum...« Er machte eine Pause und fuhr dann mit festerer Stimme fort. »Warum, glaubst du, wollte Luke dorthin zurück?«

»Ich weiß es nicht«, sagte Trey. »Er kann es eigentlich nicht gewollt haben. Wir kamen doch gerade von dort.«

Und wir haben dort Menschen sterben sehen. Wir wussten nicht, ob wir irgendjemandem vertrauen konnten, dachte Trey ohne es auszusprechen.

»Der Chauffeur war böse!«, rief Smits mit sich überschlagender Stimme. »Wenn er Lee nun verletzt hat? Wenn er ihn mitgenommen hat, um ihn umzubringen?«

»Immer mit der Ruhe«, sagte Trey, bemüht seine eigene Panik ebenso zu unterdrücken wie die von Smits. »Wir wissen nichts über die Absichten des Chauffeurs. Wenn er Lee oder den anderen etwas hätte antun wollen, dann hätte er das tun können, bevor er uns hierher brachte.«

»Aber vorher warst du mit im Auto«, sagte Smits schmollend. »Du hast geholfen uns zu beschützen.«

Trey war so überrascht von Smits' Deutungsweise, dass es ihm die Sprache verschlug.

Euch beschützt?, lag es ihm auf der Zunge zu sagen. *Ich hatte mehr Angst als alle anderen zusammen.* Er hatte während der gesamten Fahrt vom Anwesen der Grants zu dem der Talbots die Nase in die Grant'schen Finanzdokumente gesteckt. Die Zahlen waren ihm wie eine letzte Rettungsleine erschienen, um nicht den Verstand zu verlieren. Hatte Smits sich wirklich davon täuschen lassen und angenommen, dass Trey sich nicht vor Angst in die Hose machen würde? Dass er tatsächlich in der Lage sei, sich um andere zu kümmern?

Hatte der Chauffeur das auch geglaubt?

Mark betrachtete Trey skeptisch. Er machte nicht den Eindruck, als hielte er ihn für einen besonders guten Leibwächter.

»Wenn dieser Fahrer wirklich ein guter Kerl war und er gute Gründe dafür hatte, meinen Bruder mitzunehmen, sollte man doch meinen, dass er dich nicht hier gelassen hätte«, überlegte Mark.

Ja, dachte Trey. *Genau.* Mark wurde ihm durch diese Bemerkung ein wenig sympathischer.

»Außerdem ist er weggefahren, bevor die Uniformierten aufgetaucht sind«, sagte Trey. »Also hat er nicht um seine eigene Sicherheit gefürchtet. Er hat mich mit Absicht hier gelassen.« Allein diese Worte auszusprechen tat weh, aber Trey zwang sich dazu. Es war, als hoffe er irgendwie, dass Mark helfen könne.

»Also hat dieser gefährliche Mann Luke mitgenommen und dich hier gelassen, aber wir wissen nicht, warum«, fasste

Mark zusammen. Er stieß mit der Stiefelspitze in die festgetretene Erde des Scheunenbodens. »Hast du schon gehört, dass die Bevölkerungspolizei jetzt die Macht übernommen hat? Meine Eltern hocken drinnen zitternd vor dem Radio und stehen Todesängste aus. Es ist, als täte die Welt untergehen, nur dass es hier draußen noch nicht ganz so weit ist. Ihre größte Angst ist, dass Luke etwas zustoßen könnte und sie es nicht einmal erfahren würden.« Er kickte noch einmal in den Dreck und hob dann den Kopf. »Los, wir holen ihn.«

»Hä?«, sagte Trey. Er hatte schon den Faden verloren, als Mark zum ersten Mal in die Erde kickte.

»Du hast es doch gehört«, meinte Mark. »Ich habe gesagt, wir holen ihn. Wir fahren zum Haus der Grants, holen Luke nach Hause und alles ist wieder in Ordnung.«

Trey blieb vor ungläubigem Staunen der Mund offen stehen. Er hatte Lee schon immer für tollkühn gehalten. Aber jetzt wusste er, dass sein Bruder sogar noch verrückter war.

»Wir müssen nirgendwohin fahren«, brachte er schließlich heraus. »Wir können telefonieren. Wir rufen bei den Grants an oder bei Mr Hendricks in der Schule – Mr Hendricks kann Lee bei den Grants abholen lassen, wenn wir ihn nur anrufen...«

Eigentlich meinte er damit, dass Mark anrufen sollte. Er oder seine Eltern. Bei dem Gedanken, dass jemand anderes sich um alles kümmern könnte und er nichts tun musste, fühlte er sich gleich besser. Dies war ein guter Plan.

Doch Mark schüttelte den Kopf.

»Die Bevölkerungspolizei hat gestern im ganzen Land die Telefonleitungen lahm gelegt – aus Sicherheitsgründen, haben sie gesagt. Und jetzt haben sie auch noch den Strom abgeschaltet – was ist, wenn sie kommen und uns als Nächstes das Benzin wegnehmen? Wir können nicht einfach herumhocken und warten. Wir müssen Luke retten.«

Er klang fast glücklich bei dem Gedanken, dass es mehr als ein Telefonat brauchen würde, um seinen Bruder zu finden.

»Wir wissen doch gar nicht genau, wo er ist«, protestierte Trey.

Er war mit einem Mal verzweifelt bemüht, nicht in Marks gefährlichen Plan verwickelt zu werden. »Wir wissen nicht, ob der Chauffeur nicht vielleicht gelogen hat, als er sagte, dass er zum Haus der Grants zurückfährt. Nach Luke zu suchen ist ... wie die Suche nach der Nadel im Heuhaufen.« Er hoffte, Mark würde den landwirtschaftlichen Bezug zu schätzen wissen. Doch der Vergleich ging nicht weit genug. Trey erinnerte sich daran, was Mrs Talbot ihm von den Straßensperren und den Haus-für-Haus-Durchsuchungen erzählt hatte. »Nein – jetzt, wo die Bevölkerungspolizei an der Macht ist, wäre es wie die Suche nach einer Nadel in einem *brennenden* Heuhaufen.«

»Oh, damit kenne ich mich aus«, meinte Mark leichthin. »Das haben wir oft gespielt, nachdem wir die Tiere abschaffen mussten und kein Heu mehr brauchten. Man wirft ein Streichholz in einen Heuhaufen, gibt dem Feuer drei Sekunden Vorsprung und fängt dann an zu suchen. Wenn man sich beeilt, findet man die Nadel immer.«

Trey konnte diesen Kerl nur noch anstarren. Mark war nicht nur irrsinnig wagemutig – er war ganz und gar durchgedreht. Sehnsüchtig dachte Trey an sein behagliches Schrankversteck in der Küche der Talbots. Er konnte in null Komma nichts dorthin zurück. Auf jeden Fall würde er keine Sekunde länger in der Gegenwart dieses Irren bleiben.

Doch dann stellte sich Smits vor sie hin.

»Du wirst Mark doch helfen, oder, Trey?«, fragte er. »Wenn ihr beide zusammenarbeitet, könnt ihr Lee bestimmt finden. Nicht wahr, du wirst ihn retten?«

Das ist unmöglich, dachte Trey. *Es ist lächerlich, ohne Aussicht auf Erfolg zwei weitere Leben aufs Spiel zu setzen. Das ist Wahnsinn. Ein Selbstmordkommando!* Er dachte daran, wie verkehrt Smits' Vorstellung von ihm doch war, wenn er annahm, dass Trey jemals in der Lage gewesen sei, jemanden zu schützen oder sich um jemanden zu kümmern. Dabei brauchte Trey selbst jemanden, der sich um ihn kümmerte.

Dass ich Lee das Leben gerettet habe, war ein reiner Zufallstreffer, hätte er Smits am liebsten entgegengeschleudert. *Ich kann überhaupt nichts. Ich bin ein Feigling!*

Doch was er Smits zur Antwort gab, war: »Ja.«

10. Kapitel

Okay. Kann's losgehen?«, fragte Mark.

»Jetzt gleich?«, krächzte Trey. Er hätte gern ein wenig mehr Brimborium gehabt – eine offizielle Ernennungszeremonie vielleicht oder eine Segnung der Helden, davon hatte er in Büchern gelesen. Irgendeine Anerkennung der Tatsache, dass mutige Männer (okay, Jungen) sich auf gefährliche Mission begaben.

Vielleicht wollte er aber auch nur einen Aufschub. Eine Gelegenheit, sich die Sache anders zu überlegen.

»Wie? Willst du warten, bis die Bevölkerungspolizei ein totales Ausgehverbot verhängt? Natürlich jetzt gleich!«, erwiderte Mark.

Trey spürte, dass Smits ihn ansah.

»Die P-papiere«, konnte er gerade noch stammeln. »Wir müssen zuerst bei den Talbots die Papiere holen.«

Er wusste nicht, warum ihm das plötzlich so wichtig war, aber schließlich hatte er sie dorthin mitgenommen, daher erschien es ihm irgendwie nicht richtig, sie dort zurückzulassen.

»Talbots? Sind das die in dem großen Haus da drüben?«, fragte Mark und zeigte hinüber.

Trey war so durcheinander, dass er kaum wusste, wo oben oder unten war, aber er nickte.

Mark zuckte die Achseln. »Diese Monsterhäuser wollte ich mir schon immer mal von innen ansehen«, meinte er.

Trey war froh darüber, denn er war sich nicht sicher, dass er es fertig bringen würde, allein ins Haus der Talbots zurückzukehren, um anschließend mutig loszuziehen und Lee zu retten.

Mark machte die Laterne aus und sie traten aus der dunklen Scheune in die Nacht. Mark ging voran und bog Zweige zur Seite, so dass Trey freie Bahn hatte. Erst auf halbem Weg bemerkte Trey, dass Smits nicht mitgekommen war.

»Sollten wir nicht auf Smits warten – auf Peter, meine ich?«, fragte er.

»Ich habe ihn ins Bett geschickt«, erwiderte Mark. »Er ist doch noch ein kleiner Junge.«

Er ist ein Baron, dachte Trey bei sich. *Er ist es gewöhnt, dass andere Leute die Drecksarbeit für ihn erledigen.*

Und wenn sich Trey diese Haltung ebenfalls zu Eigen machen würde? Wenn er Mark einfach allein losschicken würde, um Lee zu retten?

Ein verlockender Gedanke.

Sie kamen zur Tür der Talbots und zum ersten Mal zögerte Mark.

»Sie haben doch wohl keine von diesen aufgemotzten Alarmanlagen, oder?«, fragte er.

»Ich habe das Haus vor einer Viertelstunde durch die gleiche Tür verlassen«, sagte Trey. »Es ist kein Alarm losgegangen. Außerdem ist der Strom abgeschaltet. Also, was ist, hast du Angst?«

Trey genoss es, Mark zu provozieren, aber seine Forschheit war nur vorgetäuscht. Soweit er wusste, konnte die Tür sehr wohl mit einer lautlosen Alarmvorrichtung ausgestattet sein, eine, die auch ohne Strom unmerklich die Polizei verständigte. Würde eine solche Anlage über Batterie oder das Stromnetz betrieben? Oder benötigten die Talbots dafür ein Notstromaggregat? Und falls sie eines besaßen, hätte dann in ihrem Haus das Licht nicht weiterbrennen müssen, selbst wenn in der Nachbarschaft der Strom ausfiel? Aber wenn nun alles nur ein Trick war?

Während Trey in Gedanken sämtliche Möglichkeiten auslotete, öffnete Mark achselzuckend die Fliegengittertür und dann die dahinter liegende Schiebetür. Nichts geschah. Kleinlaut ging Trey hinterher.

»Lass die Jalousien runter, dann zünd ich die Laterne wieder an«, forderte Mark ihn auf.

Trey verdunkelte das Fenster, das ihm als Beobachtungsstand gedient hatte, und zog einen Vorhang vor die Schiebetür, durch die sie gerade hereingekommen waren. Mark nahm ein Streichholz und zündete die Laterne an. Staunend sperrte er den Mund auf und seine Augen wurden groß und rund.

»Diese Barone müssen gehaust haben wie die Schweine«, sagte er und betrachtete das Chaos ringsum.

»Hast du vergessen, dass ihr Haus durchsucht worden ist?«, erinnerte ihn Trey. »Fünfzig Typen in Uniform haben es auf den Kopf gestellt. Ich wette, es war vorher das reinste Musterhaus.«

Er wusste selbst nicht, warum er das Gefühl hatte, die Talbots verteidigen zu müssen. Ihm gefiel die Häme in Marks Stimme einfach nicht.

»Dann hol mal deine Papiere«, sagte Mark.

Trey hatte sie im Küchenschrank versteckt. Er zog sie heraus und richtete sich wieder auf, als sein Blick auf die Berge von Papieren fiel, die die Arbeitsflächen bedeckten.

»Und die hier sollten wir auch mitnehmen«, meinte er. Der Gedanke war ihm gerade erst gekommen. Er hatte nicht eine Seite davon gelesen, vermutlich waren sie wertlos, sonst hätten die Uniformierten sie bestimmt weggeschafft, und Mrs Talbot hatte die Papiere offensichtlich auch nicht haben wollen. Doch irgendwie erschien es ihm plötzlich verkehrt, sie zurückzulassen. Von seinem Vater hatte Trey gelernt, dass nichts wertvoller war als das gedruckte Wort, und diesen Glauben konnte er nicht einfach so abschütteln.

Mark schien gar nicht zuzuhören.

»So viele Vorräte«, murmelte er und betrachtete die auf dem Boden verstreuten Schachteln und Tüten. »Dann hat es also doch gestimmt: Sie hatten sogar mehr Essen als wir – dabei haben wir es angebaut.«

»Die vielen Vorräte helfen den Talbots jetzt auch nichts mehr«, meinte Trey.

Mark blinzelte und im düsteren Laternenlicht huschte bei jedem Blinzeln ein tiefer Schatten über sein Gesicht.

»Meinst du, es wäre geklaut, wenn wir was davon mitnehmen?«, fragte Mark. »Nur für alle Fälle. Schließlich werden wir eine Weile unterwegs sein ...«

Der Gedanke daran, wie lange sie fort sein würden, war Trey unangenehm. Schon der Gedanke, dass sie überhaupt irgendwohin fuhren, missfiel ihm.

»Mrs Talbot hat gesagt, dass sich andere gern bedienen können«, sagte er und versuchte möglichst gelassen zu klingen. »Sie hat alles zurückgelassen und sich nicht darum geschert.«

»Egal, von was?«, fragte Mark und machte große Augen.

Am Ende nahmen sie nur ein paar Lebensmittel und die Papiere mit, außerdem einen Rucksack, um alles zu transportieren. Doch als sie wieder draußen in der Dunkelheit standen, warf Mark einen sehnsüchtigen Blick zurück aufs Haus.

»Ich wette, bis ich zurück bin, ist alles weg«, murmelte er bedauernd.

Trey war mehr denn je davon überzeugt, dass Mark wahnsinnig war.

In der unheimlichen Scheune luden sie alles auf die Ladefläche eines dreckverkrusteten Pritschenwagens. Die Papiere stopfte Mark in einen Schlitz in der Sitzbank. »Nur für den Fall, dass wir angehalten werden«, murmelte er. Das Essen aus der Küche der Talbots verstauten sie in einigen ramponierten Körben auf der Ladepritsche. Mark bedeckte jeden von ihnen mit einer Lage schimmelig aussehender Kartoffeln.

Er begutachtete gerade zufrieden sein Werk, als jemand gegen das Scheunentor hämmerte. Wie der Blitz warf sich Trey unter den Wagen.

»Mark!«, rief eine Stimme von draußen. »Mutter hat gesagt, du sollst reinkommen und ins Bett gehen.«

»Moment noch«, rief Mark zurück.

Von seinem Versteck aus sah Trey, wie die Tür aufging. Ein weiterer Junge betrat die Scheune.

»Was machst du eigentlich hier drinnen?«, fragte er.

»Ich belade für Dad den Wagen. Damit er die Kartoffeln

auf den Markt bringen kann«, antwortete Mark. Trey konnte nur staunen, wie ruhig und gelassen er dabei klang und mit welcher Leichtigkeit er log.

Der andere Junge schnaubte.

»Dad fährt nicht in die Stadt«, meinte er. »So wie es aussieht, wird er nie wieder irgendwohin fahren. Und wir auch nicht.«

»Du hast dich doch auch weggeschlichen, um dich mit Becky zu treffen«, sagte Mark. »Riskierst Kopf und Kragen, nur um deine dumme, hässliche Freundin zu sehen.«

Der andere Junge widersprach nicht. Er verteidigte nicht einmal seine Freundin. Trey konnte von ihm nicht mehr sehen als seine nackten Füße, die sich unruhig bewegten.

»Na und?«, sagte der Junge.

»Und was siehst du, wenn du unterwegs bist?«, fragte Mark. Seine Stimme klang jetzt sehr tief, fast hypnotisch. »Siehst du da irgendwelche Soldaten? Oder Polizisten? Hat irgendjemand versucht dich aufzuhalten?«

»Zu Beckys Haus sind es acht Meilen hin und zurück«, erwiderte der andere Junge. »Ich gehe immer durch die Kornfelder. Und da verstecken sich keine Soldaten oder Polizisten.«

»Ach«, sagte Mark und klang fast enttäuscht darüber, dass der Junge nicht Dutzenden von Polizisten oder haufenweise Soldaten begegnet war. Mark war schlauer, als er aussah, stellte Trey fest. Er bereitete ihre Fahrt vor, indem er dem Jungen Informationen entlockte.

Allerdings konnten Mark und Trey nicht durch Kornfelder laufen, um zum Haus der Grants zu gelangen.

»Verpfeif mich bloß nicht«, warnte ihn der andere Junge.

»Natürlich nicht«, sagte Mark.

Offensichtlich zufrieden verließ der Junge die Scheune.

Mark bückte sich zu Trey hinab.

»Ich muss jetzt reingehen. Mein Bruder Matthew schlägt bei meinen Eltern Alarm, wenn ich nicht komme. Wir brauchen sowieso eine Mütze voll Schlaf. Ich komme im Morgengrauen wieder und dann – dann ...«

»Dann fahren wir«, flüsterte Trey zurück.

»Schätze schon«, erwiderte Mark kurz angebunden. Trey konnte in dem düsteren Licht sein Gesicht schlecht sehen. »Tut mir Leid, dass ich dich nicht ins Haus bitten kann, damit ... du weißt schon. Du kommst doch hier klar, oder? Du machst dich doch nicht aus dem Staub?«

»Wo sollte ich schon hin?«, fragte Trey zurück.

Dann ging Mark und nahm das Licht mit. Trey wälzte sich in der Dunkelheit unruhig auf dem festgetretenen Lehmboden hin und her.

Ich hätte Mark sagen sollen, dass ich zurückgehe und im Haus der Talbots übernachte. Dann hätte er mich morgen früh dort abholen können. Statt im Dreck hätte ich heute Nacht auf Daunen gebettet schlafen können.

Doch das Haus der Talbots erschien ihm jetzt unheimlicher denn je. Er hatte das gierige Funkeln in Marks Augen gesehen, als Trey ihm erzählte, dass Mrs Talbot all ihre Besitztümer zurückgelassen hatte und es sie nicht kümmerte, ob sie sie zurückbekam. Es musste noch unzählige andere geben, noch gierigere Menschen als Mark, die es auf den Besitz der Talbots abgesehen hatten. Wenn er die Augen zumachte, konnte er die Horden auf die Villa zuhalten sehen: Jungen in Flanellhemden wie Mark; Männer in Uniform wie die Bevölkerungspolizisten und neue Regierungsbeamte in Anzug und Krawatte.

Und sie alle machten Trey Angst.

11. Kapitel

Trey hatte das Gefühl, es sei mitten in der Nacht, als Mark zurückkam und ihn an der Schulter rüttelte.

»Hier, zieh das an«, murmelte Mark.

Benommen nahm Trey ein dick gefüttertes Flanellhemd entgegen – fast eine Jacke. Er legte es sich so gut es ging über die Schultern. Es war *wirklich* warm und Trey war fast ein wenig gerührt, dass Mark es ihm überlassen hatte. Trey trug immer noch die vornehme Dienstkleidung, die er am Abend der verhängnisvollen Party bei den Grants getragen hatte: elegante, schwarze Hosen und ein dünnes, weißes Hemd. Nur dass man Letzteres inzwischen kaum noch weiß nennen konnte. Nicht, nachdem er sich mehrere Tage bei den Talbots versteckt und nun auf dem blanken Lehmboden übernachtet hatte.

»Achtung, dein Kopf«, sagte Mark brummig, als Trey unter dem Pritschenwagen hervorrollte.

Mark zog die Fahrertür auf und ein blendend helles Licht ging in der Kabine an.

»Knöpf das lieber zu«, sagte Mark. Trey schaute verwirrt. Zuknöpfen – ein Licht? Eine Tür? Einen Pritschenwagen?

»Das *Hemd*«, erklärte Mark ungeduldig.

Mit hochrotem Kopf zwang Trey seine steifen Finger die Knöpfe durch die Knopflöcher zu schieben. Dann rutschte er auf den Beifahrersitz, auch wenn es sich anfühlte, als klettere er direkt in einen Scheinwerfer. So weit wie möglich vom Licht entfernt kauerte er sich gegen die Beifahrertür.

»Dann wollen wir mal«, sagte Mark.

Trey drehte sich um und sah, dass Mark hinter dem Pickup ein großes Tor aufgeschoben hatte, das aus der Scheune herausführte. Ein riesiges Stück Sternenhimmel schien ihm direkt ins Gesicht zu leuchten.

»Nein, warte«, sagte Mark. »Schieben wir ihn lieber bis zur Straße.« Trey machte ein verständnisloses Gesicht. »Damit uns keiner hört.«

Es schien eine Ewigkeit zu dauern, bis Mark Trey die Sache erklärt hatte: Trey sollte aus dem Wagen klettern, sich vor die Motorhaube stellen und mit aller Kraft schieben, bis der Pickup auf die Straße hinausrollte.

»Das kann ich nicht«, jammerte Trey.

Mark starrte ihn einen Moment lang an, dann sagte er: »Schön. Du lenkst, ich schiebe.«

Anschließend musste Mark ihm praktisch eine komplette Fahrstunde erteilen: »Dreh das Lenkrad ganz langsam... Nein, nein, nicht nach vorn schauen, du musst nach hinten durch die Heckscheibe rausschauen –«

»Warum?«, fragte Trey. »Warum zeigt der Sitz nach vorn, wenn ich doch nach hinten sehen soll?«

»Weil wir rückwärts fahren«, erklärte Mark genervt.

Trey fragte sich, wie lange Mark wohl noch brauchen würde, bis er ihn wutschnaubend zum hoffnungslosen Fall erklärte: »Okay! Du bleibst hier! Ich rette meinen Bruder allein!«

Ist es das, was ich wirklich will?, fragte sich Trey.

Das war noch so eine Frage, über die er nicht nachdenken wollte.

Schließlich schien Mark überzeugt zu sein, dass Trey den Wagen richtig lenken konnte. Er schaltete das Fahrzeug in den Leerlauf und ging nach vorn zur Motorhaube.

Mark war stark. Im Handumdrehen hatte er den Pritschenwagen dorthin geschoben, wo der Kiesweg anfing. Dann ging er zurück und machte das Scheunentor zu, während Trey sich im Wageninneren zusammenkauerte.

»Hast du vor, die ganze Strecke selbst zu fahren?«, fragte Mark, als er zurückkam.

»Wie? Oh!«, sagte Trey, gab das Lenkrad frei und rutschte zur Seite.

Mark stieg ein und schloss die Tür. Er drehte den Schlüssel, der Motor hustete einige Male und kam dann stotternd auf Touren. Es hörte sich an, als röhre ein Jumbojet durch die Nacht. Trey war sicher, dass das Getöse nicht nur Marks Familie, sondern auch sämtliche Nachbarn aufwecken würde.

Mark jedoch wirkte unbesorgt. Er klopfte lediglich aufs Armaturenbrett und murmelte: »Gute alte Bessie.«

Trey kniff vor Angst die Augen zu. Was dachte er sich nur dabei? Wie konnte er sich auf so etwas einlassen? Warum begab er sich wissentlich in Gefahr?

Neben ihm begann Mark zu pfeifen. Zu pfeifen!

Trey öffnete die Augen einen Spalt. Am Armaturenbrett leuchteten Anzeigen und Zahlen. Vor ihnen durchschnitten die Scheinwerfer die undurchdringliche Dunkelheit.

»Warum hast du deiner Familie nicht Bescheid gesagt?«, fragte Trey leise. »Wie konntest du sie einfach –« Fast hätte er

»im Stich lassen« gesagt, hielt sich aber im letzten Moment zurück. »Wieso bist du fortgefahren ohne sie wissen zu lassen, wohin du gehst?«

Mark warf ihm einen kurzen Blick zu und konzentrierte sich dann wieder auf die Straße.

»Weil sie sich nur Sorgen machen würden«, sagte er.

»Und so werden sie sich keine Sorgen machen, wenn du Hals über Kopf verschwindest?«, fragte Trey ungläubig.

»Sie werden denken, dass ich eine Spritztour mache und mir ein bisschen Ärger einhandle.« Mark zögerte. »Kleinen Ärger, keinen großen.«

Trey wollte überhaupt keinen Ärger, weder kleinen noch großen. Ob Mark so etwas schon öfter getan hatte – sich mitten in der Nacht mit dem Auto seiner Familie aus dem Staub zu machen, weiß-der-Kuckuck-wohin? Rechneten sie bei ihm mit solchen Dingen? Was hatte er, Trey, sich nur dabei gedacht, sich mit einem solchen Kerl einzulassen?

»Oh, oh«, murmelte Mark.

»Was ist?«, fragte Trey ängstlich.

Mark antwortete nicht, sondern zeigte wortlos auf ein Paar Scheinwerfer, das direkt auf sie zukam.

12. Kapitel

ieg irgendwo ab! Wir müssen uns verstecken!«, schrie Trey. Ohne nachzudenken lehnte er sich hinüber und griff ins Lenkrad. Mark schob ihn mit der Hand zur Seite, ebenso leicht, wie er eine Fliege beiseite wischen würde.

»Hier gibt's keine andere Straße und nix«, sagte er. »Willst du im Straßengraben landen? Wart einfach ab –«

Die Scheinwerfer kamen näher. Mark schien zu beschleunigen und einen Moment lang wagte Trey wider alle Vernunft zu hoffen. Wie schnell musste der Pritschenwagen fahren, um über einen entgegenkommenden Wagen – oder eine andere Gefahr – einfach drüberzuspringen? Doch das war ein kindischer Gedanke, er hatte ihn aus einem Comic, den seine Mutter ihn einmal hatte lesen lassen, während sein Vater dachte, er lerne Latein. Echte Lastwagen sprangen nicht über Hindernisse.

»Hmm«, murmelte Mark. »Das ist der alte Hobart.«

»Wer?«, fragte Trey.

Mark trat auf die Bremse.

»Was machst du da?«, rief Trey.

»Schscht«, sagte Mark.

Der Wagen wurde langsamer und blieb stehen, als das andere Fahrzeug – ebenfalls ein Pritschenwagen – sich direkt neben ihnen befand. Gelähmt vor Entsetzen konnte Trey nur zusehen, wie Mark langsam die Fensterscheibe herunterkurbelte. Der andere Fahrer tat das Gleiche.

»Hey«, sagte Mark.

»Hey«, sagte der andere Fahrer. Trey konnte in der Dunkelheit nur erkennen, dass es ein alter Mann war. Seine weißgrauen Kopf- und Barthaare schimmerten unheimlich im grünen Licht der Anzeigen auf dem Armaturenbrett.

»Wen hast'n da bei dir?«, wollte der alte Mann wissen.

»Meinen Vetter«, sagte Mark gelassen. »Er war hier zu Besuch, als – weißt schon. Hobart, das ist Silas. Silas, das ist Hobart.«

Trey nahm an, dass er mit Silas gemeint war. Er nickte steif, auch wenn Hobart das im Dunkeln vermutlich nicht sehen konnte. Trey war froh über die Dunkelheit. Sie würde es Hobart unmöglich machen, je zu beschreiben, wen er genau gesehen hatte.

»Also, ich für meinen Teil bin so alt, dass es keine Rolle mehr spielt, was mit mir passiert«, sagte Hobart. »Deshalb hat meine Familie auch *mich* in die Stadt geschickt, um nachzusehen, ob wir noch Geld auf der Bank haben. Aber zwei junge Hüpfer wie ihr – wohin habt ihr es denn so eilig, dass ihr dafür euer Leben aufs Spiel setzt?«

Trey hielt die Luft an. Mark würde es nicht wagen, diese Frage zu beantworten, oder doch?

»So schnell fahre ich doch gar nicht«, erwiderte Mark.

Hobart lachte leise. Es war ein bitterer Laut in der Dunkelheit.

»Schnell oder langsam, ist doch egal. Wer sich in diesen Zeiten vor die Tür wagt, fordert das Schicksal heraus. Ich hab läuten hören, dass sie jeden erschießen, der nach Boginsville reinfährt. Und drüben in Farlee patrouillieren Soldaten auf den Straßen und schreiben den Leuten vor, wann sie das Licht an- und auszumachen haben oder für die Soldaten Essen kochen oder ihnen etwas auf den Händen vortanzen müssen – entweder sie kriegen ihren Willen oder sie schießen. Manchmal schießen sie auch bloß zum Zeitvertreib, egal, was die Leute tun«, berichtete Hobart. »Am besten, ihr dreht auf der Stelle um und fahrt nach Hause.«

Trey schluckte und wartete auf Marks Antwort.

»Aber *du* hast deinen Ausflug scheinbar überlebt«, stellte Mark fest.

»Bis nach Hurleyton sind die Soldaten noch nicht gekommen«, sagte Hobart. »Noch nicht.«

»War die Bank offen?«, erkundigte sich Mark. Selbst Trey, der für versteckte Untertöne in Unterhaltungen kein Gespür hatte, merkte, dass Mark dieses Gespräch nicht nur zum Vergnügen führte.

»Nö«, sagte Hobart. »In der Stadt sind alle Läden dicht.«

»Um fünf Uhr morgens ist das meistens so«, meinte Mark.

»Glaubst du mir vielleicht nicht, Junge?«, knurrte Hobart. »Bin gestern Nachmittag rübergefahren. Nachdem ich in die Bank nicht reinkam, hab ich die Nacht bei meinem Neffen in der Stadt verbracht.«

»Mit Saufen und Kartenspielen«, meinte Mark.

»Na und? Das haben sie noch nicht verboten, soweit ich weiß.« Hobart klang fast kleinlaut.

»Das werden sie aber, wenn deine Frau den Soldaten erst mal Bescheid sagt«, meinte Mark.

Hobart lachte und Trey staunte. Gerade noch hatte es ausgesehen, als würden sich die beiden in die Haare geraten, nun schien es, als seien sie die besten Freunde, die über einen geheimen Witz lachten.

»Ich sag dir was, mein Junge«, schlug Hobart vor. »Du verrätst keinem, dass du mich gesehen hast. Und ich sag keinem, dass ich dich gesehen hab.«

»Abgemacht«, sagte Mark.

»Na dann«, sagte Hobart. Doch er fuhr noch nicht davon. Er musterte Mark und Trey mit aufmerksamem Blick und einen Moment lang war Trey sich sicher, dass die funkelnden Augen des alten Mannes den Kontrast zwischen seinem Flanellhemd und den eleganten Kellnerhosen bemerkt hatten. Er fürchtete sogar, der Alte könnte unter dem staubigen Sitzbezug die Papiere erspähen, die Trey bei den Grants und den Talbots mitgenommen hatte.

»Ich weiß nicht, was ihr beiden vorhabt«, meinte Hobart. »Aber seid auf der Hut, hört ihr? Tut nichts, was ich nicht auch tun würde.«

»Na, das lässt uns ja ordentlich Spielraum«, spöttelte Mark zurück.

Hobart kicherte und kurbelte sein Seitenfenster hoch. Dann fuhr er langsam davon.

Trey atmete tief aus. Ihm war schwindelig – jetzt, wo er darüber nachdachte, war er sich nicht sicher, ob er während des Gespräches zwischen Mark und Hobart auch nur ein einziges Mal Luft geholt hatte.

Auch Mark kurbelte seine Scheibe wieder hoch und brachte den Wagen routiniert auf Touren.

»Können wir Hobart vertrauen?« Trey klang so verzagt, dass seine Stimme im Motorengeräusch fast unterging. Er überlegte gerade, ob er noch einmal fragen sollte, als Mark antwortete.

»Beim Kartenspielen betrügt Hobart nach Strich und Faden«, sagte Mark. »Aber wenn er sagt, dass er niemandem von uns erzählt, dann hält er sich auch daran.«

Trey wusste nicht, ob er erleichtert oder enttäuscht sein sollte. Wenn Hobart darauf bestanden hätte, Marks Eltern zu verständigen – oder ihn und Mark vielleicht sogar eigenhändig zurückgebracht hätte –, dann wäre die gefährliche Reise zu Ende gewesen, bevor sie richtig losgegangen war. Trey hätte sagen können: »Na ja, wir haben es immerhin probiert«, und mit reinem Gewissen aufgeben können.

Aber so, wie die Dinge jetzt lagen, löste der Gedanke ans Aufgeben Schuldgefühle bei ihm aus.

Dabei befand er sich immer noch auf direktem Weg in die Gefahr.

13. Kapitel

Das Haus der Grants lag am Rand einer großen Stadt, meilenweit entfernt von der Villa der Talbots und der Farm von Marks Familie. Trey hatte also ausgiebig Gelegenheit, im Pritschenwagen zu sitzen und jede Umdrehung der Räder unter sich zu bereuen.

Mark unternahm keinen Versuch, ihn durch eine Unterhaltung abzulenken. Trey fragte sich, ob auch ihm allmählich mulmig zumute wurde, denn sein Gesicht schien immer blasser zu werden, je weiter sie fuhren, und die Haut in seinem Gesicht schien sich immer fester über die Knochen zu spannen.

Zumindest sahen sie nach der Begegnung mit Hobart keine weiteren Fahrzeuge mehr. Die Landschaft, durch die sie fuhren, wirkte vollkommen verlassen und ohne jedes Anzeichen von Leben. Trey fragte sich, ob Hobarts Geschichten von den überall patrouillierenden Soldaten nur ein Produkt seiner Fantasie gewesen und auch die Nachrichtenberichte über Unruhen nichts als Propagandalügen waren. Zu Unruhen gehörten Menschen und die waren nirgends zu sehen.

Irgendwann hatte Trey jedes Zeitgefühl verloren, er wusste weder wie lange sie schon unterwegs waren noch wie weit sie noch zu fahren hatten. Plötzlich steuerte Mark den Wagen von der Straße.

»Wa–, Mark! Wach auf! Du fährst Unsinn!«, schrie Trey,

der überzeugt war, dass Mark ebenfalls in eine Art Wachtraum gefallen sein musste.

»Ich fahre mit Absicht hier lang, du Dummkopf«, zischte Mark durch die Zähne, während er den Wagen einen steilen Feldweg hinablenkte. Direkt vor ihnen lag ein Fluss.

Trey klammerte sich an das Armaturenbrett und kniff die Augen zu. Auf diese Art zu sterben hatte er nicht erwartet.

Abrupt blieb der Wagen stehen. Da Trey weder einen dramatischen Satz über die Uferböschung verspürt hatte noch Wasser um seine Füße schwappte, machte er die Augen vorsichtig wieder auf.

Sie standen in einem kleinen Wäldchen. Alles, was Trey durch die Windschutzscheibe erkennen konnte, waren dicke Äste und Blätter in grellen Rot-, Orange- und Gelbtönen.

»Hat es hier eine Art nukleare Verseuchung gegeben?«, fragte Trey.

»Hä?«, erwiderte Mark.

»Die Blätter«, sagte Trey. »Sie sind – nicht grün. Gibt es hier radioaktive Strahlung? Sind wir hier sicher?«

Mark fiel die Kinnlade immer weiter herunter.

»Es ist Oktober«, sagte er. »Herbst. Hat dir nie einer beigebracht, dass die Blätter im Herbst die Farbe wechseln? Ist dir das noch nie aufgefallen?«

»Oh«, sagte Trey. Jetzt fiel es ihm wieder ein. Natürlich hatte er in Büchern schon Bilder mit Herbstlaub gesehen, doch es hatte nie so bunt und leuchtend gewirkt. »Ich war letzten Dezember zum ersten Mal im Freien«, sagte er entschuldigend.

Mark starrte ihn an.

»Hab ich das richtig verstanden?«, hakte er nach. »Du hast bis letztes Jahr noch nie einen Fuß vor die Tür gesetzt?«

»Nein«, sagte Trey.

»Hast du je aus einem Fenster geschaut?«

»Nein. Das war zu gefährlich.«

Marks Kinnlade berührte nun praktisch den Boden, so verblüfft schaute er drein.

»Also, ich …«, setzte er an. »Also, ich glaube, wenn ich noch nie im Freien gewesen wäre, würde ich die Augen aber aufmachen, wenn es endlich so weit ist.«

»Tue ich doch!«, sagte Trey.

»Nein, tust du nicht. Du hattest die Augen fast den ganzen Weg über zu.«

»Nein, hatte ich nicht!«

»Und ob! Ich wette, wir sind an zig Bäumen mit Herbstlaub vorbeigekommen. Warum hast du da nicht gefragt, ob sie verstrahlt sind?«

Bei genauerem Nachdenken erinnerte sich Trey tatsächlich an einige bunte Streifen am Wegesrand. Aber er würde Mark gegenüber nie zugeben, dass er, wenn er es wagte, aus dem Fenster zu sehen, meist nur schnelle, ängstliche Blicke riskierte. Er hatte die Augen zwar offen gehabt, nur hatte er die meiste Zeit auf das Armaturenbrett gestarrt.

»Egal«, sagte Mark plötzlich mit rauer Stimme. »Macht nix.« Er trommelte mit den Fingern auf das Lenkrad. »Ich denke, wir müssten bald da sein. Wenn wir den Wagen hier verstecken und den restlichen Weg zu Fuß gehen, fallen wir nicht so doll auf.«

»Wir wollen keinen Verdacht erregen«, stimmte Trey zu.

Er mochte vielleicht keine Ahnung von Bäumen und Blättern haben – na, wenn schon! Wenigstens konnte er mit besseren Ausdrücken aufwarten als mit »nicht so doll auffallen«.

»Ähm, ja«, sagte Mark. »Ich hab Karten, wie wir zur Stadt rüberkommen, und Peter – Smits ... oder wie immer er heißt – hat mir gesagt, wo sein Haus steht. Also weiß ich, wo wir hinmüssen. Aber, ähm ...«

Trey wartete, aber Mark schien nicht gewillt weiterzusprechen. Er saß einfach da und starrte durch die Windschutzscheibe auf die Äste und das leuchtende Blattwerk.

»Was?«, drängte Trey.

»Bis jetzt waren wir nur auf Nebenstrecken unterwegs«, sagte Mark. »Ich bin allen Ansiedlungen ausgewichen, wenn's ging. Aber jetzt ... Ich war noch nie in einer Stadt. Gibt's da irgendwas, was ich wissen muss? Damit ich nix falsch mache, meine ich?«

Trey musterte Mark, in seinem Flanellhemd, den ausgeblichenen Jeans und den klobigen Arbeitsstiefeln. Hoffen und Bangen spiegelten sich in seinem Gesicht unter der staubbedeckten Kappe. Mark sah aus, als hoffe er wirklich, dass Trey ihm einen guten Rat geben könnte.

»Ich weiß es nicht«, sagte Trey. Natürlich war er selbst in einer Stadt aufgewachsen, aber was hatte er je davon gesehen? »Sag einfach nicht mehr ›nix‹, okay?«

»Äh, okay«, antwortete Mark, doch er sah aus, als wäre er gerade geohrfeigt worden. Trey hätte seine Worte am liebsten zurückgenommen. Beide waren sie nur zwei Banausen, die sich in eine Situation begaben, deren Gefahren sie nicht abschätzen konnten. Welche Rolle spielten da ein paar sprachliche Schnitzer?

Mark drückte seine Tür auf und knallte sie gegen einen Ast.

»Hilf mir den restlichen Wagen abzudecken, damit ihn vom Weg aus keiner sehen kann«, forderte er Trey verstimmt auf.

Trey folgte Marks Anweisungen und brach Zweige ab, um die Teile des Pick-ups abzudecken, die am deutlichsten zu sehen waren. Selbst er konnte die feine Schärfe in Marks Stimme hören, als dieser ihm geduldig erklärte, dass alles, was er gerade tat, falsch war.

»Nein, Trey, du kannst nicht mit bloßen Händen einen zwanzig Zentimeter dicken Ast abbrechen – dafür brauchst du eine Säge ...«

»Nein, Trey, wenn wir immer nur ein oder zwei Blätter auf einmal abreißen, brauchen wir Stunden dafür ...«

Als Mark schließlich fand, dass der Wagen gut genug versteckt war – und dafür sogar zum Weg zurückkroch, um sich mit eigenen Augen davon zu überzeugen –, holten er und Trey die Vorräte heraus, die sie aus dem Haus der Talbots mitgenommen hatten, und verkrochen sich ins Gebüsch, um zu essen.

»Iss zuerst die schweren Sachen«, riet ihm Mark. »Das leichtere Essen nehmen wir mit.«

Und dann musste Trey vergleichen. War eine Banane schwerer als ein Pfirsich? Wog eine Tüte Erdnüsse mehr als eine Schachtel Rosinen? Mark sah ihm verärgert zu.

»Iss einfach, was du willst«, sagte er schließlich. »Wir sind stark genug, um alles zu tragen. Ich zumindest.«

»Warum hast du mich überhaupt mitgenommen?«, lag es Trey auf der Zunge zu fragen. »Wozu soll ich von Nutzen sein, wenn du mich sogar für unfähig hältst einen Proviantsack zu tragen?« Doch er schluckte seine Worte zusammen mit den Erdnüssen herunter. Und beides blieb ihm fast im Hals stecken.

Mit ihrer Mahlzeit hielten sie sich nur kurz auf. Nur wenig später war Mark wieder auf den Füßen und stopfte Vorräte in den Proviantsack. Trey kletterte noch einmal ins Fahrerhaus und zog die Dokumente heraus, die er bei den Grants und den Talbots eingesteckt hatte.

»Pack sie auch ein«, bat er Mark.

Dieser zögerte.

»Ich weiß nicht recht«, sagte er. »Wenn wir angehalten werden und sie den Rucksack durchsuchen ...«

Trey verstand Marks Einwand. Falls man sie erwischen würde, könnten die Papiere sie als Diebe aussehen lassen. Wie sollte Trey ihre Herkunft erklären? Andererseits waren sie alles, was ihm geblieben war. Er besaß sonst nichts mehr, weder aus seinem Leben mit den Eltern noch aus seiner Zeit in der Hendricks-Schule. Diese Papiere waren seine einzige Verbindung zu einem Punkt in seinem Leben, als es Menschen gegeben hatte, denen er am Herzen lag.

»Dann trage ich sie selbst«, sagte Trey und stopfte die wichtigsten Grant-Papiere – und ein paar Dokumente, die er bei den Talbots blindlings eingesteckt hatte – in eine Innentasche seines Flanellhemdes. Am liebsten hätte er alle mitgenommen, doch hätte der ganze Packen eine deutliche Ausbuchtung unter seinem Hemd verursacht. Er durfte sein

Glück nicht überstrapazieren, das wusste er. Die restlichen Unterlagen stopfte er zurück in den Schlitz in der Sitzbank.

Mark machte ein besorgtes Gesicht, doch er erhob keine Einwände. Er wandte sich ab und rückte ein letztes Mal die Zweige über dem Wagen zurecht.

»Ich habe mir gedacht, dass wir am Fluss entlanglaufen«, sagte er nur. »Wenn wir Glück haben, können wir den ganzen Weg über im Schutz der Bäume bleiben.«

Trey nickte, doch in Wahrheit packte ihn die Angst. Sie ließen den Pritschenwagen zurück. Dabei konnte das Anwesen der Grants noch meilenweit entfernt sein. Erwartete Mark wirklich, dass Trey stundenlang durchs Freie lief? Und selbst wenn sie irgendwann ihr Ziel erreichten, konnten sie keineswegs sicher sein, dass Lee ebenfalls dort sein würde.

»Bist du sicher, dass es der beste Weg ist?«, fragte Trey. »Was . . . was ist, wenn die Telefone inzwischen wieder funktionieren? Sollten wir das nicht wenigstens ausprobieren?«

»Siehst du irgendjemand rumstehen, der uns mal eben telefonieren lässt?«, fragte Mark spöttisch. »Und würdest du ihm vertrauen?«

»Nein«, flüsterte Trey.

Mark drehte sich um und ging los. Trey beeilte sich hinterherzukommen.

Solange er Mark unmittelbar auf den Fersen blieb, ging es mit dem Laufen ganz gut, stellte Trey fest. Er richtete seinen Blick starr auf das graue Karomuster von Marks Hemd und sah weder nach oben oder unten noch nach links oder rechts. Aus diesem Grund geriet er ständig ins Stolpern und vermutlich wirkte es total lächerlich, wenn er wie ein Storch vor sich hin stelzte, für den Fall, dass ihm irgendwelche Baumstämme oder Unterholz vor die Füße kamen. Doch Mark sagte nichts dazu, er drehte sich lediglich hin und wieder um, um sich zu vergewissern, dass Trey noch hinter ihm war.

Nachdem sie eine kurze Strecke gelaufen waren, zischte Mark über die Schulter: »Runter!« Als Trey nicht sofort reagierte, packte er ihn am Arm und zog ihn auf den Boden. Trey lag flach auf dem Bauch, das rechte Ohr in den Dreck gedrückt. Hörte er marschierende Schritte oder war es nur sein eigener Herzschlag?

»Von hier aus kriechen wir«, flüsterte Mark.

Trey fragte nicht nach dem Grund, sondern kämpfte stumm mit seiner Angst. Wie sollte er sich im Kriechen weiter auf Marks Hemd konzentrieren?

Mark schlängelte sich bereits fort. Seine Stiefelspitzen glitten über eine Wurzel und plötzlich war er nicht mehr zu sehen. Trey war wieder allein.

»Warte!«, flüsterte Trey verzweifelt und schob sich über die Wurzel. Mark wartete direkt dahinter in einer Kuhle voller Blätter und Dreck. Stillschweigend begann er weiterzukriechen und Trey folgte ihm, aus Angst, ihn wieder aus den Augen zu verlieren.

Man konnte es nicht wirklich »kriechen« nennen, was sie dort taten. Es war mehr ein Rutschen und Gleiten. Mark hatte die Eleganz einer Schlange und wand sich unauffällig durch das Gestrüpp. Trey dagegen zerbrach Äste und zerdrückte Blätter. Nicht mal ein Elefant würde sich lauter und ungeschickter anstellen, fand er.

He, Dad?, rief Trey im Stillen. *Warum war es wichtiger, Latein zu lernen als das hier?*

Doch er kannte die Antwort. Sein Vater war davon ausgegangen, dass Trey kaum jemals mehr bewegen müsste als seine Augen, wenn sie über Bücherzeilen huschten, oder die Fingerspitzen, wenn sie Seiten umblätterten.

Warum?, fragte sich Trey. *Wenn du doch wusstest, dass ich mich nicht für immer verstecken würde –*

Doch das war zu nah an den gefährlichen Gedanken, mit denen er sich nie wieder beschäftigen wollte. Er zwang sich seine Konzentration auf Mark zu lenken und ihm zu folgen.

Nach Stunden, wie es Trey schien – es mochten aber auch Tage gewesen sein –, hielt Mark mitten auf einer kleinen Lichtung inne. Er schob sich neben Trey, streckte die Hand aus und flüsterte: »Ist es das?«

Trey hob den Kopf, obwohl es ihn ängstigte, geradewegs in den Himmel hinaufzusehen. Knapp über den Kronen der höchsten Bäume erhob sich der Dachgiebel eines Hauses. Oben auf dem Dach thronte eine Kuppel. Mit zusammengekniffenen Augen entzifferte Trey auf der Spitze der Kuppel ein verschnörkeltes goldenes »G«. War das ein »G« für Grant?

»Könnte sein«, flüsterte er zurück.

Mark nickte und kroch weiter.

»Das Gelände ist eingefriedet, glaube ich«, sagte Trey und versuchte sich zu erinnern. Er war in einem Auto zu den Grants gekommen, das zuvor durch – was, ein Tor? – gebraust war. Er hatte nicht darauf geachtet, weil er viel zu sehr mit seinen Sorgen beschäftigt gewesen war.

»Ich weiß«, sagte Mark. »Peter hat mir alles erzählt.«

Trey musste scharf nachdenken, ehe ihm wieder einfiel, dass Mark Smits meinte, dass Peter eigentlich Smits war. Dann musste er sich beeilen aufzuholen, ehe Mark hinter einem Baum verschwand. Als Trey bei ihm ankam, redete Mark immer noch.

»Es führt ein Wall ums ganze Grundstück herum, aber er ist aus Stein; und auf der Rückseite, wo er dem Fluss am nächsten kommt, gibt es eine Stelle, an der ein Stein herausragt. Sie ist gerade breit genug, dass ein Junge durchkriechen kann. Peter und sein Bruder haben sich auf diesem Weg immer fortgeschlichen ...«

Trey war froh, dass Mark so gut Bescheid wusste. Er hatte gewusst, wo er den Pritschenwagen verstecken musste, dass der Fluss sie bis zum Haus der Grants führen würde, und auch jetzt wusste er genau, wie sie auf das Grundstück gelangen konnten. Trey hatte wirklich keinen Grund, sich Sorgen zu machen, solange er in Marks Nähe blieb.

Plötzlich stoppte Mark vor ihm ab, und zwar so abrupt, dass Trey mit der Nase direkt gegen Marks Schuhsohle stieß.

»Hör doch«, zischte Mark ihm über die Schulter zu.

Eine barsche Stimme hallte durch die Bäume. Zuerst konnte Trey nichts verstehen, doch als er ein wenig näher kroch, wurde die Stimme lauter: »Da! Und da! Schneller!«, brüllte es in der Ferne.

Trey sah Mark an, doch der machte ebenfalls ein ratloses Gesicht.

»Sollen wir umkehren?«, fragte Trey mit gedämpfter Stimme.

Mark schüttelte den Kopf.

»Sei einfach ganz, ganz leise«, sagte er so lautlos, dass Trey ihm die Worte fast von den Lippen ablesen musste.

Unendlich langsam krochen sie weiter. Die Stimme wurde jetzt noch lauter.

»Macht schon, Männer! Ihr glaubt doch nicht, dass ihr für diese Schluderei bezahlt werdet? Eine solche Bande fauler Tunichtgute ist mir noch nie untergekommen! Beeilung!«

Auch Hammerschläge hörten sie und Ächzen und Stöhnen. Trey war völlig schleierhaft, warum Mark darauf bestand, dass sie sich mucksmäuschenstill verhielten: Bei diesem Radau würde niemand ein paar Jungen durch den Wald kriechen hören.

Trey sah die Steinmauer als Erster. Er war so erleichtert, nicht an der Stimme und den hämmernden Männern vorbeikriechen zu müssen, dass es ihm die Sprache verschlug. Er zupfte Mark am Ärmel und streckte den Arm aus.

Doch Mark schüttelte warnend den Kopf. Geduckt führte er Trey an der Mauer entlang; der Lärm wurde immer lauter.

Sie folgten einem Bogen in der Mauer, als Mark Trey plötzlich hinter einen großen Busch zerrte.

»Dort«, flüsterte er tonlos.

Voller Angst spähte Trey durch das Gebüsch. Vor ihnen trieb ein Trupp Männer in grauen Uniformen – vielleicht vierzig, fünfzig oder auch hundert – entlang der gesamten Steinmauer Holzpflöcke in den Boden und befestigte Drähte daran.

»Wozu?«, flüsterte Mark, »wozu brauchen sie eine Steinmauer und zusätzlich noch einen Stacheldrahtzaun?«

Völlig verwirrt zuckte Trey die Achseln. Warum sollte irgendjemand einen neuen Zaun um das Haus der Grants errichten, nachdem Mr und Mrs Grant tot waren? Wer hatte das angeordnet? Lee? Der Chauffeur?

»Lass uns einfach durch das Loch in der Mauer klettern«, bat Trey. »Schnell. Bevor sie uns entdecken.«

»Das geht nicht«, flüsterte Mark zurück. »Das Loch ist dort drüben.«

Und er deutete mitten in den Pulk der Uniformierten.

14. Kapitel

Wie auf Kommando krochen Trey und Mark tiefer in den Wald hinein, um zu überlegen, was sie als Nächstes tun sollten. Trey war dafür zu warten, bis die Arbeitstrupps verschwunden waren, vielleicht sogar das gesamte Vorhaben zu überdenken.

»Vielleicht können wir Lee auf bessere Art helfen als über zwei Einfriedungen zu klettern?«, meinte er. »Lass uns einen Moment nachdenken und darüber reden. . . . Vielleicht haben wir irgendeine nahe liegende Lösung übersehen. Vielleicht ist es gar nicht nötig, einen Fuß auf das Grundstück der Grants zu setzen.«

Je mehr er darüber nachdachte, desto unheimlicher wurde ihm die zweite Absperrung. Es ergab einfach keinen Sinn.

»Willst du die ganze Zeit hier rumsitzen und reden?«, fragte Mark ungläubig. »Und nichts unternehmen? Es kann Stunden dauern, bis die Männer wieder weg sind. Und in dieser Zeit könnte mein Bruder –«

Trey wollte das Ende von Marks Satz gar nicht hören.

»Und was willst du tun?«, fragte er herausfordernd.

»Lass uns dort langgehen und nachsehen, ob es noch einen anderen Weg hinein gibt«, schlug Mark vor und zeigte in die Richtung, die den Männern, die den Stacheldrahtzaun errichteten, entgegengesetzt lag. »Vielleicht ist das Eingangstor offen.«

Trey konnte kaum fassen, dass Mark ernsthaft glaubte, sie könnten am helllichten Tag einfach so auf das Grundstück spazieren. Doch Mark gab Trey keine Gelegenheit, die Debatte fortzusetzen. Er schlängelte sich bereits behände durch das Unterholz.

In stillem Zorn folgte ihm Trey.

Als sie das Ende des Waldes erreichten, spürte Trey jeden Muskel im Leib. Er war es einfach nicht gewohnt, seine Füße vorsichtig anzuheben und sie dann so präzise wieder aufzusetzen, dass kein Zweig knackte und keine Blätter raschelten. Im Grunde war er es kaum gewöhnt, seine Füße überhaupt zu bewegen. Doch es waren nicht nur Füße und Beine – auch seine Arme schmerzten vom Wegbiegen der viele Äste und sein Rücken vom Niederkauern. Eine Hand hatte er sich an der rauen Steinmauer aufgekratzt und die andere an einer dornigen Pflanze, die er erst bemerkt hatte, als es zu spät war. Er war so benebelt von Schmerz und Erschöpfung, dass ihn nicht einmal der offene Himmel störte. Was sollte ihm die schreckliche Natur wohl sonst noch antun?

Es war Mark, der ihn davon abhielt, auf die Lichtung hinauszulaufen.

»Warte«, flüsterte er und packte ihn am Arm. »Sieh mal.«

Wieder spähte Trey durch die Blätter. Er musste zweimal blinzeln, weil er glaubte, seine Augen spielten ihm einen Streich. Dort, in der Auffahrt zum Tor des Anwesens der Grants, standen Hunderte Männer und Jungen in einer Reihe hintereinander und warteten geduldig ... auf was? Und warum hatten er und Mark sie nicht gehört? Wie konnten so viele Menschen so leise sein?

Dann sah Trey, dass keiner von ihnen redete. Oder, doch –
einige von ihnen schon, aber nur flüsternd, mit geneigtem
Kopf und ganz leise. Es war, als hätten sie ebenso große
Angst, belauscht zu werden, wie er und Mark.

»Was, glaubst du, was die dort machen?«, fragte Mark.

Trey schüttelte nur den Kopf. Mark wirkte enttäuscht, als
habe er diese Menschenmenge für ein alltägliches städtisches
Phänomen gehalten, das Trey verstehen und ihm erklären
konnte.

»Ich frag einfach jemanden«, erklärte Mark.

»Nein!«, platzte Trey heraus. »Sie könnten –«

»Was?«, fragte Mark. »Was würden sie mir wohl schlimms-
tenfalls antun für eine Frage?«

»Dich umbringen«, antwortete Trey leise.

Mark verdrehte die Augen.

»Hilf mir«, sagte er dann. »Lass uns den Richtigen aussu-
chen.«

Treys Ansicht nach war in der Schlange einer so gut wie
jeder andere. Trotzdem spähte er noch einmal gehorsam
durchs Geäst. Sämtliche Männer in der Schlange trugen zer-
lumpte Kleidung; alle waren dünn und hatten ausgemergelte
Gesichter. Doch bei genauerem Hinsehen konnte Trey sehr
wohl einige Unterschiede feststellen. Einige in der Reihe waren noch sehr jung – etwa in seinem Alter, vielleicht sogar
noch jünger – und sie blickten am hoffnungsvollsten drein.
Manche wirkten sogar, als seien sie im Begriff, sich auf ein
Abenteuer einzulassen. Die ältesten Männer dagegen starrten
mit blicklosen Augen abwesend ins Leere. Einige von ihnen
sahen wirklich aus, als wären sie imstande jemanden wegen

einer Frage umzubringen. Vielleicht hatten sie aber auch selbst das Gefühl, bald umgebracht zu werden.

»Der da«, sagte Mark plötzlich.

Er zeigte auf einen etwa gleichaltrigen Jungen. Trey wusste sofort, warum er ihn ausgesucht hatte. Er trug ein ähnliches Flanellhemd wie sie selbst.

»Du willst doch nicht –, du kannst doch nicht –«, stotterte Trey.

Aber Mark war bereits aus dem Gebüsch getreten und ging auf die Reihe zu.

Trey sah ihm ängstlich hinterher. Er klammerte sich so fest an den Baum, neben dem er stand, dass sich unter seinen Händen die Rinde löste.

Mark schlenderte förmlich hinüber. Zuerst nahm niemand in der Reihe Notiz von ihm. Doch als er den Rand der asphaltierten Straße erreichte, wandten ihm einige Jungen die Köpfe zu. Einer davon war der Junge im Flanellhemd.

»He«, sagte Mark. »Wofür steht ihr hier an?«

Der Flanellhemdjunge sah sich verzweifelt um, als hoffe er, Mark möge einen anderen angesprochen, die Aufmerksamkeit auf einen anderen gerichtet haben. Doch dann antwortete er. Trey sah, wie sich sein Mund bewegte, auch wenn er nicht ein Wort verstehen konnte.

Mark trat näher an den Flanellhemdjungen heran. Obwohl er Trey jetzt den Rücken zuwandte, konnte dieser an seiner Kopfhaltung erkennen, dass er ebenfalls redete, allerdings so leise, dass Trey ihn nicht hören konnte. Mark und der Flanellhemdjunge führten ein richtiges Gespräch, mal sprach der eine, mal der andere. Beide wirkten sehr lebhaft.

Einmal runzelte der Flanellhemdjunge die Stirn über etwas, das Mark gesagt hatte. Dann legte er die Hände trichterförmig an Marks Ohr und flüsterte ihm etwas zu, das niemand sonst hören sollte.

Kurze Zeit später kam Mark in den Wald zurück.

»Was ist los?«, fragte Trey, sobald er in Hörweite war. »Was tun sie da?«

»Sie stehen an, um der Bevölkerungspolizei beizutreten«, antwortete Mark.

»Wie bitte?«, sagte Trey. Mit unterdrücktem Schaudern sah er wieder zu der endlos langen Reihe hinüber. »Im Haus der Grants? Was haben die Grants denn mit der Bevölkerungspolizei zu tun?«

Auch Mark blickte zu der Menschenschlange hinüber. Doch seine Augen schienen nichts wahrzunehmen.

»Es ist nicht mehr das Haus der Grants«, sagte er. »Es gehört jetzt der Bevölkerungspolizei. Es ist – ihr neues Hauptquartier.«

15. Kapitel

Trey zuckte zurück, als könne er der schrecklichen Neuigkeit ausweichen, die Mark ihm gerade enthüllt hatte.

»Nein«, stöhnte er.

»Vielleicht lügt der Junge ja«, sagte Mark tonlos. »Aber ich glaube nicht. Warum sollte er das tun?«

Trey merkte, dass er zitterte. Er versuchte seine Muskeln unter Kontrolle zu bekommen, doch es war zwecklos. Er befand sich nur wenige Meter vom Hauptquartier der Bevölkerungspolizei, von genau den Menschen, die ihn seit seiner Geburt hatten töten wollen. Er hatte wirklich allen Grund zu zittern.

Ohne darüber nachzudenken fuhr er mit der Hand in seine Hosentasche und packte die gefälschte Ausweiskarte, die seine Mutter ihm nach dem Tod des Vaters gegeben hatte. Er hatte sie seitdem immer bei sich getragen. Sie war sein einziger Schutz gegen den sicheren Tod.

»Trey?«, sagte Mark. »Vielleicht ist mein Bruder doch nicht hier. Vielleicht sind er und seine Freunde – deine Freunde – entkommen, bevor die Bevölkerungspolizei das Haus übernommen hat.«

Mark glaubte, dass Trey um Lees willen zitterte, dass er sich nur um seine Freunde sorgte.

»Vielleicht hat der Chauffeur, der Lee mitgenommen hat, die ganze Zeit über für die Bevölkerungspolizei gearbeitet?«, sagte Trey und schämte sich im gleichen Moment dafür. Warum versuchte er Mark wehzutun?

»Wir müssen ihn finden«, sagte Mark.

Doch er schlug keinen Plan vor, sondern starrte nur dumpf auf die Schlange der neuen Polizeirekruten.

Auch Trey musste unwillkürlich hinübersehen, obwohl der Anblick ihn in Angst und Schrecken versetzte. Die Reihe hatte weder Anfang noch Ende. Sie schien sich endlos fortzusetzen mit all den unzähligen Männern und Jungen.

»So viele Menschen wollen für die Bevölkerungspolizei arbeiten?«, klagte er. »Hassen sie dritte Kinder denn so sehr? Werden sie von allen gehasst?«

»Nein«, sagte Mark und wandte endlich den Blick ab. »Wahrscheinlich haben sie keine Ahnung von dritten Kindern. Sie haben einfach nur Hunger.«

»Na und? Wer hat das nicht?«, fragte Trey zurück.

Mark seufzte.

»Offensichtlich hat die Bevölkerungspolizei heute Morgen bekannt gegeben, dass niemand außer ihr mehr Nahrungsmittel verkaufen darf«, berichtete er. »Und Essen kaufen dürfen nur diejenigen Familien, von denen mindestens ein Angehöriger Mitglied der Bevölkerungspolizei ist. Also treten alle ein, damit sie nicht verhungern müssen.«

Trey schloss die Augen und fühlte sich plötzlich selbst schwindelig vor Hunger. Vielleicht war es aber auch nur die alte Angst. Er lebte schon so lange mit diesem Gefühl, dass er inzwischen eigentlich abgestumpft sein müsste, fand er. Doch das war er nicht. Die Angst schien jede einzelne Nervenzelle in seinem Körper unter ihre Kontrolle gebracht zu haben. Es fiel ihm schwer, zu begreifen, was Mark ihm eben erzählt hatte. Wenn die Bevölkerungspolizei die Nahrungsversorgung kontrollierte ... Wenn alle der Bevölkerungspolizei beitraten ...

Er war verloren. Alle dritten Kinder waren verloren. Und das ganze Land dazu.

»Hör mal«, sagte Mark. »Ich – ich habe dem Jungen erzählt, dass ich ihm Essen verkaufen kann und dass er der Bevölkerungspolizei nicht beitreten muss. Ich weiß nicht, warum, wahrscheinlich bin ich ein bisschen durchgedreht. Ich hab ihm sogar beschrieben, wie man Gemüse anpflanzen kann ...«

Es dauerte eine Weile, bis Marks Worte bei Trey ankamen.

»Was sagst du da?«, fragte er. »Was ist, wenn er dich meldet? Wenn die Bevölkerungspolizei dicke Belohnungen verspricht, dafür, dass man Leute anzeigt, die illegal Lebensmittel verkaufen, so wie sie das Anzeigen dritter Kinder belohnt?«

Trey wartete Marks Antwort gar nicht ab. Er packte ihn am Arm und begann ihn mit sich zu ziehen.

»Wir müssen uns verstecken!«, schrie er verzweifelt. »Sofort!«

Er stürmte blindlings in den Wald hinein und zerrte Mark hinter sich her.

»Pst! Trey! Du bist ... Man wird uns hören!«, rief Mark.

Trey blieb wie angewurzelt stehen – nicht wegen Marks Protest, sondern weil direkt vor seiner Nase acht Reihen Stacheldraht verliefen. Er hatte geglaubt tiefer in den Wald hineinzulaufen, stattdessen war er in seiner Panik im Kreis gerannt. Er war wieder zurück bei der doppelten Einfriedung, die das Anwesen der Grants umgab.

Schweigend starrten er und Mark auf den silbrig glänzenden Stacheldrahtzaun. Ein Stachel befand sich nur Zentimeter von seinem rechten Auge entfernt. Was wäre geschehen, wenn er ihn nicht gesehen hätte? Wenn er nicht stehen geblieben wäre?

»Die Arbeiter«, drängte Mark ungeduldig. »Sie haben ihre Arbeit beendet und sind abgezogen. Also...« Er ging einen kleinen Schritt auf den Zaun zu.

Trey erwachte aus seinen Gedanken.

»Du willst immer noch da durchkriechen?«, zischte er. »Du musst verrückt sein! Das ist zu gefährlich! Zumindest solange die Bevölkerungspolizei dort drinnen ist. Hör mal, Mark, ich weiß, dass du unheimlich mutig bist, aber du kannst Lee nicht retten!«

»Ich muss es versuchen«, sagte Mark ruhig.

»Du schaffst es nicht einmal durch den Stacheldraht«, warf Trey verzweifelt ein.

»Klar schaffe ich das«, meinte Mark. »Weißt du, durch wie viele Stacheldrahtzäune ich in meinem Leben schon geklettert bin? Bin sozusagen der Stacheldraht-Weltmeister. Hab mir nix – ich meine, keinen einzigsten Kratzer mehr geholt, seit ich drei war!«

Trey machte sich nicht die Mühe, ihm zu sagen, dass seine Grammatik auch ohne das »nix« himmelschreiend war. Mark würde sein Einverständnis ohnehin nicht abwarten. Er ließ Trey stehen und ging zum Zaun.

»Pass auf«, sagte Mark mit einem tollkühnen Grinsen.

Er nahm den Rucksack ab und warf ihn beiseite. Dann stellte er den rechten Fuß zwischen die untersten beiden Drähte. Keiner der beiden berührte sein Bein. Trey trat einen Schritt zurück, um besser sehen zu können, während Mark sich zusammenkauerte, um auch den Rest seines Körpers durch den Spalt zu schieben. Mit einer Hand griff er nach dem oberen Draht, um ihn von seinem Kopf fern zu halten.

Im gleichen Moment schrie er auf. Er ließ den Draht fahren und dieser traf seinen Rücken auf ganzer Länge. Mark zuckte zur Seite, sein Schrei brach einfach ab, doch war er immer noch im Stacheldraht gefangen. Sein Körper sackte über dem untersten Draht zusammen.

Instinktiv packte Trey einen Stock und drückte damit gegen Marks Körper, so dass dieser vom Stacheldraht herunterfiel. Als der Stock den Draht berührte, spürte Trey ein seltsames Prickeln in den Handgelenken und Knöcheln. Entsetzt ließ er den Stock fallen und sprang zurück. Er musste verrückt gewesen sein einen feuchten Stock vom Boden aufzuheben. Wasser leitet Strom. Und der Stacheldrahtzaun war, das hatte er inzwischen begriffen, mit einer gefährlich hohen Spannung geladen. Er starrte auf Marks lebloson Körper, der auf der anderen Seite des Zauns lag. Trey war sich nicht einmal sicher, ob Mark überhaupt noch lebte.

Über ihnen, auf der alten Steinmauer, flammte plötzlich ein Scheinwerfer auf und tauchte die ganze Umgebung in gleißendes Licht. In wilder Verzweiflung hastete Trey zurück und suchte nach einer dunklen Stelle, wo er sich verstecken konnte. Sekunden später hörte er Schritte heranmarschieren, die genau auf ihn zukamen. Er warf sich in ein Gebüsch, dass die Zweige brachen. Zitternd streckte er die Hand aus, um Blätter und Zweige wieder aufzurichten und die Spuren seines verzweifelten Sprungs zu verwischen.

»Eindringling im zweiten Quadranten entdeckt«, dröhnte ganz in der Nähe eine Männerstimme.

Vorsichtig wagte Trey durch die Zweige zu spähen. Vier Männer in Uniformen standen neben dem Stacheldrahtzaun und betrachteten Mark.

»Zaun zur Bergung des Eindringlings deaktivieren«, donnerte die Stimme erneut.

Ein leises Summen ertönte, dann sah Trey, wie sich einer der Männer bückte und Marks Körper unter dem Zaun hervorzog. Der Stacheldraht verfing sich in seiner Uniform, doch das schien den Mann nicht zu kümmern.

»Bergung beendet. Strom reaktivieren«, befahl der erste Mann. Trey sah, dass er in eine Art Funkgerät sprach.

Einer der anderen Männer hob Mark auf und warf ihn sich wie einen Kartoffelsack über die Schulter. Marks Augenlider flatterten – er war am Leben!

Dann gingen die Lichter aus. Die Männer marschierten ab und Trey blieb wieder einmal allein zurück.

16. Kapitel

Trey rührte sich lange nicht. Er konnte sich nicht bewegen, war wie gelähmt. Es war, als glaubte er nur lange genug dastehen zu müssen, damit sich sämtliche Ereignisse vor seinen Augen zurückspulten: Das Licht würde wieder angehen. Die Männer würden rückwärts marschieren und Mark wieder auf den Boden legen. Mark würde rückwärts durch den Stacheldrahtzaun kriechen, gesund und munter, seine Kleidung wie durch Zauberhand repariert und sein Körper vom Strom unversehrt.

Nur dass das Rückspulen für Trey noch weitergehen müsste. Er wünschte sich Lee und Nina entkidnappt, Mr Talbot unverhaftet und die Regierung ungestürzt. Und er wollte wieder in der Hendricks-Schule sein – nein, zurück in seinem Elternhaus.

Er wollte, dass sein Vater wieder am Leben war.

Hier hielt Trey an, in jener guten alten Zeit, als andere für ihn sämtliche Entscheidungen getroffen, sich um ihn gekümmert und ihm gesagt hatten, was er zu tun und zu lassen hatte.

Jetzt hatte er niemanden mehr. Nichts und niemanden.

Er begann hemmungslos zu wimmern und schlang die Arme um den Leib. Die Papiere, die er von den Grants und den Talbots mitgenommen hatte, knisterten unter seinem Hemd. Die Finger seiner linken Hand berührten seine Hosentasche und er griff hinein, um die gefälschte Ausweiskarte beinahe zärtlich in der Hand zu halten.

Er besaß nichts außer Dokumenten und einem falschen Ausweis. Na und?

Im Dämmerlicht des Waldes suchte er den Weg zurück und wäre fast über den Proviantsack gestolpert, den Mark von sich geworfen hatte, bevor er durch den Zaun gestiegen war. Selbst die Tatsache, dass er etwas zu essen hatte, erschien Trey inzwischen sinnlos. Verbittert trat er gegen den Rucksack. Es fühlte sich richtig gut an, genauso gut wie das Ballspiel, das er mit Lee und dem Rest seiner Freunde in der Hendricks-Schule gespielt hatte. Er trat noch einmal gegen den Rucksack und kickte ihn so weit fort, dass Trey nicht einmal sah, wo er landete.

Er suchte nicht nach ihm, sondern brach hilflos auf dem Boden zusammen wie ein Häuflein Elend.

Lee, ich wollte dir helfen, rief er seinem Freund im Stillen zu – dem Freund, den er vermutlich nie wieder sehen würde. *Ich habe es versucht.* Aber hatte er es auch genug versucht? Mark schon. Mark hatte alles getan, was möglich war. *Und Mark – es tut mir Leid, dass ich auch dich nicht retten kann.*

Ein vertrautes Gefühl durchströmte Trey: Resignation. So hatte er sich zu Hause immer beim Schachspielen mit seinem Vater gefühlt. Jedes Mal spielten sie eine Weile, Trey verlor ein paar Figuren, auch sein Vater musste ein oder zwei abgeben – und plötzlich sah Trey auf das Brett und begriff, dass er in der Falle saß. Nichts, was er tat, würde verhindern, dass sein Vater gewann. Irgendwann lachte sein Vater dann leise auf – wie Trey dieses Lachen hasste! – und sagte: »Und jetzt kommt das Finale.«

Vor dem Finale. Genau das war der Punkt, an dem Trey sich jetzt befand. Die Bevölkerungspolizei hatte Lee und Nina. Und sie hatten Mark. Sie hatten dafür gesorgt, dass das ganze Land Schlange stand, um in ihre Dienste zu treten. Es war nur noch eine Frage der Zeit, bis sie auch Trey haben würden. Bis sie ihn umbrachten.

Es sei denn ...

Trey dachte an eine ganz bestimmte Partie gegen seinen Vater. Es war ihre letzte gewesen. Er hatte seine Figuren wie üblich ohne große Hoffnung über das Brett geschoben und unter jedem Satz seines Vaters gelitten: »Bist du sicher, dass du deinen Läufer dort stehen lassen willst? ... Was glaubst du wohl, wohin ich meinen König als Nächstes ziehe?« Und dann hatte sich im Spiel plötzlich etwas verändert. Trey machte einen Zug mit einem Bauern und sein Vater wurde still. Trey bewegte die Dame und sein Vater begann mit den Zähnen zu knirschen.

Am Ende hatte Trey gewonnen; er hatte sich aus einer unüberwindbar geglaubten Falle befreit. Und er hatte es geschafft, seinerseits dem Vater eine Falle zu stellen.

Ob es auch jetzt einen Weg gab, trotz allem zu gewinnen? Gab es einen Weg, Mark und Lee zu retten – und dabei am Leben zu bleiben?

Nicht mit einem Packen wertloser Dokumente und einem gefälschten Ausweis. Schließlich helfen mir die wohl kaum über die Absperrungen. Es gibt keinen Weg hinein.

Doch, es gab einen. Die Bevölkerungspolizei schleuste

Hunderte Männer und Jungen durch das große Eingangstor hinein.

Trey bekam Gänsehaut, als eine Idee in ihm zu reifen begann. Er wünschte fast, sein Kopf würde nicht ganz so gut funktionieren; fast sehnte er sich nach dem alten Ohnmachtgefühl, das ihn glauben ließ, er könne nichts tun. Dies war der gefährlichste Gedanke, der ihm jemals gekommen war.

Trotzdem würde er es tun.

Er, Trey – der größte Feigling der Welt, ein Schattenkind, das den Großteil seines Lebens im Versteck gesessen hatte –, würde Mitglied der Bevölkerungspolizei werden.

17. Kapitel

Trey stand am Ende der Schlange, die Knie fest zusammengedrückt und am ganzen Leibe zitternd. Er musste all seinen Mut aufbringen, um einfach nur dazustehen und in etwa zehnminütigen Intervallen ein Stück aufzurücken – und selbst das nur zentimeterweise, näher und näher auf das Furcht erregende Tor zu.

Er musste planen, er musste sich genau überlegen, was er tun würde, sobald er hineinkam. Sollte er die Polizeiuniform anziehen und darum bitten, als Wachmann eingesetzt zu werden, um Mark, Lee und die anderen bei der erstbesten Gelegenheit zu befreien? Oder sollte er verlangen jemanden in leitender Position zu sprechen und dann wie ein Zauberer die Papiere aus dem Hemd ziehen: »Voilà! Hier sind geheime Dokumente aus dem Besitz gefährlicher Staatsfeinde. Wenn Sie nicht augenblicklich gewisse Gefangene freilassen, verbrenne ich sie und die Papiere gehen der Bevölkerungspolizei für immer verloren!«

Er hatte kein Streichholz.

Die Papiere waren keine Geheimdokumente. Es waren Finanzformulare, Geschäftspapiere und Einkaufszettel. Nichts, wofür sich die Bevölkerungspolizei auf einen Handel einlassen würde.

Nichts, was sie ihm nicht einfach so aus den Händen reißen konnten.

Was passiert, wenn ich an die Spitze der Schlange komme und immer noch keinen Plan habe?, schaltete sich Treys verängstigter Verstand ein. *Ich sollte die Reihe verlassen, über alles nachdenken und zurückkommen, wenn ich weiß, was zu tun ist.*

Doch er würde noch Stunden anstehen. Schon jetzt war er sich der verrinnenden Sekunden schmerzhaft bewusst, der Minuten, die verstrichen. Mit jedem Moment wurde die Wahrscheinlichkeit größer, dass er ohnehin zu spät kam, um seine Freunde zu retten.

Ob ihm irgendeiner der Umstehenden helfen würde? Um sich herum sah er Lumpen und Schmutz und Hemden, die hauptsächlich aus Flicken bestanden. Er hatte nicht den Mut, jemandem ins Gesicht zu sehen, geschweige denn, jemandes Aufmerksamkeit auf sich zu ziehen.

Was erwarte ich denn? Sie wollen zur Bevölkerungspolizei. Ich muss das allein durchziehen.

Und doch fühlte er sich nicht ganz allein. Immer wieder hörte er Stimmen aus der Vergangenheit: Wie viele Male hatte Lee zu ihm gesagt: »Komm schon, Trey. Du schaffst es!«, wenn er in der Hendricks-Schule versucht hatte einen Football zu fangen oder einen Baseball zu treffen. Wie viele Male hatte Mr Hendricks gemurmelt: »Du bist wirklich ein unglaublich helles Bürschchen«, wenn er Trey auf Botengänge geschickt hatte. Wie viele Male hatte sein eigener Vater genickt und lächelnd gesagt: »Ja, ja, das ist richtig. Das hast du wunderbar gelernt«, wenn Trey ihm zu Hause sein tägliches Pensum aufgesagt hatte.

Also schob sich Trey weiter vorwärts, bezwang seine Angst,

suchte weiter nach einem Plan und lauschte weiter den aufmunternden Stimmen in seinem Kopf.

Und dann fand er sich plötzlich am vorderen Ende der Schlange wieder, vor ihm eine Mauer aus Tischen, die den Zufahrtsweg zu den Toren der Grants blockierten.

»Deinen Ausweis«, brummte ein Mann.

Trey unterdrückte das Zittern seiner Hände, als er in die Tasche griff und die Plastikkarte hervorzog. Er legte sie auf den Tisch zwischen sich und den Mann.

»Travis Jackson«, las der Mann mit gelangweilter Stimme vor.

Beim Klang des Namens, der zu ihm gehörte, aber nicht sein eigener war, zuckte Trey zusammen. Er bereitete sich darauf vor, dass der Mann das Bild betrachten und mit Trey vergleichen würde. Und wenn er nun beschloss den Ausweis überprüfen zu lassen? Trey hatte gehört, dass es spezielle Chemikalien gab, bestimmte Arten von Säure, die gefälschte Ausweise verätzten, während echte Dokument unbeschädigt blieben. Sie waren teuer, daher wurden sie nicht oft eingesetzt, doch wenn sich die Bevölkerungspolizei nun entschied sie ausgerechnet bei Treys Ausweis zu verwenden? Sollte er sich sicherheitshalber darauf einstellen davonzulaufen?

Doch der Mann warf den Ausweis einfach zu einem Kollegen hinüber.

»Einheit 3-C«, erklärte der Kollege und der erste Mann notierte etwas auf ein Blatt Papier.

»Komm rein«, sagte er und hob ein an einem Scharnier befestigtes Stück Tischplatte an, damit Trey durch die Öffnung gehen konnte. »Melde dich im ersten Zimmer rechts, dort geben sie dir eine Uniform.«

Trey zögerte.

»Bekomme ich meinen Ausweis nicht zurück?«, krächzte er.

»Du bist jetzt Angehöriger der Bevölkerungspolizei, mein Kleiner«, erklärte der Mann mit einem Lachen. »Das ist ab jetzt alles, was du hast oder bist.«

»Aber –« Trey wollte es lieber nicht auf eine Auseinandersetzung ankommen lassen. Er wusste, dass er nichts unternehmen durfte, was seinen Namen oder sein Gesicht in den Mittelpunkt rückte. Er durfte überhaupt keine Aufmerksamkeit erregen. Aber er konnte doch nicht einfach gehen und seinen Ausweis zurücklassen! Der Ausweis war das Einzige, was seine Mutter ihm mitgegeben hatte. Welche Chancen hatte er ohne ihn?

Der Mann hörte ihn gar nicht.

»Der Nächste«, rief er, während sein Kollege Treys Ausweis auf einen Stapel in einer Kiste unter dem Tisch warf.

Trey stand da und versuchte sich zu entscheiden, ob er noch etwas sagen sollte oder nicht.

»Gehst du jetzt rein oder machst du mir Platz?«, knurrte jemand hinter ihm. »Ich hab nämlich Hunger und seit drei Tagen nix gegessen. Hoffentlich gibt's gleich was zwischen die Kiemen.«

Trey schluckte.

»Ich gehe rein«, sagte er. Er ließ seinen Ausweis zurück, ging am Tisch vorbei und trat durch das Eingangstor des einstigen Anwesens der Grants.

Mitten im Schwall der anderen neuen Polizeirekruten wurde Trey die Auffahrt entlanggespült und die Treppe hinauf durch die große Eingangstür. Erst nachdem er bereits daran vorbei war, fiel Trey ein, nach der Stelle Ausschau zu halten, an der der große Kronleuchter heruntergekracht war und Mr und Mrs Grant getötet sowie Lees Leben bedroht hatte, ehe Trey ihn rettete.

Ich habe hier schon einmal Mut bewiesen, dachte Trey. *Also kann ich es auch wieder tun.*

Er ging weiter.

Als die Flut der Leiber um ihn herum sich schließlich zu teilen begann, fand sich Trey in einer großen Halle, die er kaum wiedererkannte. In der Nacht der verhängnisvollen Party war er mit Sicherheit schon einmal hier gewesen, doch inzwischen wirkte der Raum völlig verändert. Trey erinnerte sich an Samt und Seide und funkelnde Gläser, während die Halle jetzt mit Regalen voll gepfropft war, aus denen graue Uniformen quollen.

»Größe?«, wollte ein Mann von Trey wissen.

»Äh, weiß ich nicht. Ich glaube, ich bin gewachsen, seit ich das letzte Mal ...«

»Macht nichts«, sagte der Mann und drückte Trey eine Uniform in die Arme.

Der Stoff fühlte sich rau an. Von einem Uniformärmel starrte Trey das Abzeichen der Bevölkerungspolizei entgegen: zwei sich überschneidende Kreise mit einem tränenförmigen Symbol darunter. Trey hatte alle möglichen Gerüchte über die Bedeutung des Abzeichens gehört. Einige meinten, die Kreise stünden für zwei Kinder und das Symbol für die Tränen der Mütter, die ihre dritten Kinder töten mussten. Andere sagten, die Träne sei eigentlich eine Schaufel und symbolisiere das Begraben der Kinder, die von der Bevölkerungspolizei getötet wurden. So oder so verkrampfte sich Treys Magen beim Anblick des verhassten Abzeichens. Er ließ die Uniform zu Boden fallen, beugte sich vor und würgte.

Plötzlich schlug ihm jemand mit der Faust gegen den Kopf.

»Junge!«, brüllte ein Mann. »Behandle die Uniform gefälligst mit Respekt! Heb sie sofort auf! Hörst du?«

»Ja, Sir!«, presste Trey mühsam heraus. Ungeschickt sammelte er Hemd und Hose auf. Der Mann brüllte weiter – irgendetwas von »Stolz auf die Organisation, der du gerade beigetreten bist« und »die edle Sache«. Rund um sich herum spürte Trey die Blicke der anderen Rekruten, die stumm und erschrocken zusahen. Einige hatten mitten im Umziehen innegehalten und standen nun halb nackt da, mit nur einem Arm oder Bein in der neuen Uniform.

Niemand stand Trey bei.

»Was hast du dazu zu sagen?«, endete der Mann.

»Bitte – ich will nur – gibt es irgendwo eine Toilette?«, stammelte Trey.

Wieder schlug ihn der Mann, dass Trey gegen die Wand flog. Trey schmeckte Blut. Vorsichtig betastete er sein Gesicht, kam aber zu dem Schluss, dass er sich die Wunde wohl selbst zugefügt haben musste, indem er sich auf die Zunge gebissen hatte.

»Und jetzt macht, dass ihr fertig werdet, und meldet euch augenblicklich nebenan!«, brüllte der Mann – dieses Mal nicht nur an Trey, sondern an alle Rekruten gewandt.

»Jawohl, Sir«, riefen einige von ihnen und wieder wurde es hektisch im Raum, als alle so schnell wie möglich in die Uniform schlüpften.

Jemand tippte Trey auf die Schulter.

»Die Toilette ist dort drüben«, informierte ihn ein Junge, der bereits fertig angezogen war.

»Vie– vielen Dank«, sagte Trey.

Ohne jeden weiteren Gedanken an Demütigung oder Schmerz oder gar die Notwendigkeit, Mark und Lee zu retten, stolperte er über das Gewirr aus Füßen. Er wollte sich nur noch verstecken.

Als er sie endlich gefunden hatte, entpuppte sich die Toilette als Traum aus eleganten silbernen Tapeten, offensichtlich ein Relikt aus den Zeiten der Grants. Trey schloss die Tür hinter sich ab und betrachtete sein blasses, verängstigtes Gesicht im Spiegel.

»Was soll ich nur tun?«, flüsterte er seinem Spiegelbild zu. Selbst seine glänzendsten Einfälle – seine Freunde durch Verhandlungen freizubekommen oder mit einem Trick herauszuschmuggeln – wirkten angesichts der echten Fäuste, Schreie und vielen grauen Uniformen lächerlich.

Jemand rüttelte von außen am Türgriff. »He! Andere Leute wollen auch mal rein!«

Trey sah sich verzweifelt um, als hoffe er, dass ihn die Wände verschlucken und für immer verbergen könnten. Im Moment konnte er der Welt draußen einfach nicht begegnen. Er konnte es einfach nicht.

Trotz aller Eleganz war das WC relativ klein und schlicht und enthielt nicht mehr als ein Waschbecken und eine Toilette. Beide waren edel und geschmackvoll, doch gab es nicht einmal ein Badeschränkchen unter dem Waschbecken, in dem er sich hätte verkriechen können. Und ein Schrank war ohnehin nicht vorhanden. Nur eine Öffnung in der Wand hinter der Toilette, die ein großes, verziertes Abdeckgitter aus Messing bedeckte.

Ein Lüftungsschacht, ein abgedeckter Lüftungsschacht!

Treys Gedanken überschlugen sich, während er auf das Muster des Messinggitters starrte. Hatte er sich nicht gerade gewünscht von den Wänden verschluckt zu werden? Und war das hier nichts anderes als ein Loch in der Wand?

Trey lief hin und stolperte vor lauter Hast über seine eigenen Füße. Er stürzte, schlug jedoch mit dem Knie gegen die Toilette und statt zu fallen nutzte er den Schwung, um noch schneller zur Schachtöffnung zu gelangen: Er legte die Polizeiuniform auf den Wasserkasten und stellte sich auf den Toilettendeckel. *Wahrscheinlich ist das Gitter mit Schrauben befestigt, die ich ohne Schraubenzieher nicht lösen kann*, dachte er, während er die Arme ausstreckte. Doch nein – das Gitter wurde durch ein paar Klemmen und Haken gehalten, deren Mechanismus Trey sofort verstand. Im Handumdrehen löste er das Gitter aus der Halterung und nahm es von der Wand.

Ich werde nicht hindurchpassen, dachte er. *Meine Schultern sind bestimmt zu breit. Es ist hoffnungslos!*

Doch wieder war seine Panik grundlos.

Er kletterte vom Deckel auf den Wasserkasten und steckte Kopf und Schultern durch die Öffnung in der Wand. Es war nicht sehr bequem und er hatte nicht viel Bewegungsspielraum, doch er passte hinein.

Er dachte angestrengt nach, rutschte noch einmal heraus und kletterte dann erneut hinein, diesmal mit den Füßen voran.

Ich bin bestimmt zu schwer. Der Luftschacht wird unter meinem Gewicht zusammenbrechen, sorgte er sich, doch diese Angst kümmerte ihn nicht allzu sehr. Solange der Schacht nicht mit Getöse zusammenbrach und ihn in die Tiefe riss, gab er immer noch ein gutes Versteck ab.

Er schob beide Füße hinein, dann folgten Beine und Rumpf, doch der Luftschacht machte keine Anstalten zusammenzubrechen. Im letzten Moment griff Trey nach unten und holte die Uniform herauf. Er glaubte zwar nicht, dass jemand genau notiert hatte, welche Uniform sie welchem Rekruten ausgehändigt hatten, doch er wollte kein Risiko eingehen und keine Spuren hinterlassen.

Was ist, wenn ich das Gitter von innen nicht mehr befestigen kann?, fragte er sich. Doch auch dies war eine grundlose Befürchtung. Er setzte das Abdeckgitter in den Rahmen zurück, griff durch die Löcher und schaffte es, alle Klemmen bis auf eine wieder zu befestigen. Niemand würde eine einzelne lose Klemme bemerken, beruhigte er sich.

Schwer atmend schob sich Trey ein Stück den Schacht hinein, damit niemand sein Gesicht hinter dem Lüftungsgitter entdecken konnte.

Wieder rüttelte jemand an der Tür. Dieses Mal begann wer immer es war zusätzlich gegen die Tür zu hämmern.

»Rauskommen!«, befahl jemand. »Auf der Stelle!« Diese Stimme klang deutlich autoritärer. Möglicherweise gehörte sie sogar dem Officer, der Trey vorhin geschlagen hatte.

Trey hielt die Luft an.

Sekunden später vernahm er ein Splittern. Durch den schmalen Spalt, den er durch das Gitter noch erkennen konnte, sah er, wie die Toilettentür aufflog.

»Hier drinnen ist niemand!«, brüllte die autoritäre Stimme entrüstet.

Dann vernahm Trey einen Schmerzenslaut. Wahrscheinlich schlug die Autoritätsperson denjenigen, der sie herbeigerufen hatte.

Aber niemand hielt das Gesicht vor das Lüftungsgitter, um nach Trey Ausschau zu halten. Niemand schien zu bemerken, dass er verschwunden war. Niemand rief: »Travis Jackson! Komm auf der Stelle aus deinem Versteck!«

Trey gab einen großen, aber stummen Seufzer der Erleichterung von sich.

Er war in Sicherheit.

Er beglückwünschte sich selbst. *Mr Hendricks hat Recht*, dachte er. *Ich bin wirklich ein Genie.* Er war so stolz, als hätte er soeben im Handstreich die Bevölkerungspolizei bezwungen.

Vielleicht schaffe ich es doch, überlegte er. Je nachdem, wohin dieser Luftschacht führte, hatte er womöglich gerade einen Weg entdeckt, um Mark, Lee und die anderen zu retten.

18. Kapitel

Trey rutschte rückwärts durch den Luftschacht und zog die Uniform der Bevölkerungspolizei hinter sich her. Es war ein mühsames Unterfangen, denn er hatte nicht viel Platz, um sich zu bewegen, und er hatte eine Heidenangst davor, Lärm zu machen. Mehr als einmal kratzte ein Knopf seines Flanellhemdes über den metallenen Schachtboden und jedes Mal erstarrte er vor Angst, jemand könnte den Schacht aufreißen und ausrufen: »Aha! Also du bist es! Jetzt wissen wir Bescheid! Du bist nicht Travis Jackson! Und jetzt musst du sterben!«

Nein, sie werden sich einfach sagen, dass es im Haus der Grants Mäuse gibt, tröstete er sich. Sie werden Gift auslegen und damit werde ich fertig.

Trey wusste, dass er nicht sehr logisch dachte. Trotzdem schob er sich weiter, immer mit den Füßen voran. Das begann ihm langsam Sorgen zu machen. Er wünschte, er hätte Augen an den Zehen. Was war, wenn er nun mit den Füßen ein anderes Messinggitter aus der Verankerung stieß? Wenn er in einem anderen Zimmer herausrutschte? In einem Raum, der nicht so harmlos war wie die Toilette? Was war, wenn er in diesem Moment an einer Öffnung vorbeirutschte, die alle deutlich sehen konnten? Trey wandte immer wieder den Kopf und versuchte über die Schulter zu sehen, doch davon bekam er allmählich einen schmerzhaft steifen Hals und er konnte ohnehin kaum über seine Füße hinaussehen. Außerdem schien vor ihm nichts als Dunkelheit zu sein.

Er rutschte weiter.

Nachdem er stundenlang mit den Füßen voran gekrochen war, wie es ihm schien, stieß er dort, wo er nichts als Luft erwartet hatte, gegen eine Metallwand. Hatte er die Orientierung verloren und bewegte sich schief vorwärts? Nein – die glatte, gerade Wand erstreckte sich fort und blockierte seinen Weg. War er in einer Sackgasse gelandet? Wie konnte ein Luftschacht einfach so aufhören? Er unterdrückte die Angst. Er streckte die Beine aus, tastete mit den Füßen, so gut es ging, vorsichtig in alle Richtungen und stellte fest, dass links und rechts, dort, wo er mit Metallwänden gerechnet hatte, keine waren. Und plötzlich begriff er: Er war an einer Kreuzung angekommen, dort, wo der Schacht, der zur Toilette führte, von irgendeinem Hauptschacht abzweigte. Auf diesem Weg würde er in das restliche Haus gelangen.

»Links oder rechts? In welche Richtung soll ich?«, fragte er sich. Er versuchte sich den Verlauf der Luftschächte im Verhältnis zum Grundriss des Hauses vorzustellen. Er vermutete, dass der nach links abzweigende Schacht in Richtung Eingangstür verlief und damit vermutlich nutzlos war, doch das war mehr oder weniger geraten. Er bewegte seine Füße nach rechts und begann sich mit äußerster Vorsicht um die Ecke zu schieben. Dann hielt er abrupt inne.

»Du Dummkopf«, murmelte er atemlos. »Du kannst doch jetzt vorwärts kriechen.«

Er schob sich ein Stück zurück, bis seine Füße in den entgegengesetzten Schacht reichten, und kroch dann vorwärts weiter, ertastete seinen Weg mit Händen und Fingern statt mit Füßen, die in Schuhen steckten. Vor sich konnte er zwar nach wie vor nichts erkennen, doch mit dieser Veränderung fühlte es sich deutlich besser an.

Ich sollte Lee und die anderen zu einem Wettkriechen durch die Lüftungsschächte herausfordern, sobald wir wieder in der Schule sind, dachte er. *Ich würde mit Sicherheit alle schlagen.*

Er genoss es fast, durch die Dunkelheit zu robben.

Zum Held werden, indem man sich versteckt, dachte er. *Damit kann ich umgehen. Ich sollte mein Motto ändern. Wie hieße es dann auf Lateinisch – ich glaube,* virtus *für »Heldentum« und* latente *für »verstecken«.*

In diesem Augenblick sah er das Licht.

Zuerst war es nur ein grauer Schatten in der Ferne, eine geringfügige Veränderung der endlosen Schwärze. Doch je weiter er sich vorwärts schlängelte, mehr denn je bemüht leise zu sein, desto heller wurde es. Schon bald erkannte er vor sich im Schacht das Lichtmuster eines Abdeckgitters. Und er hörte Stimmen.

»Inakzeptabel! Völlig inakzeptabel, sage ich!«, tobte eine Männerstimme.

Die Stimme kam Trey vage bekannt vor, doch er konnte sie nicht gleich zuordnen. Sie gehörte weder Mr Talbot noch Mr Hendricks oder irgendeinem Lehrer der Hendricks-Schule. Es war auch nicht der Mann, der ihn im Uniformraum angebrüllt hatte. Welche anderen Männerstimmen kannte Trey sonst noch?

Vorsichtig bewegte er sich auf das Licht zu und spähte

durch ein Gitter, das sogar noch größer und kunstvoller war als das in der Toilette. Unter sich erblickte er einen dunkelhaarigen Mann, der hinter einem riesigen Schreibtisch saß. Uniformierte Officers der Bevölkerungspolizei saßen in mehreren Reihen vor ihm, wie Schuljungen, die etwas ausgefressen hatten. Trey zuckte wie von der Tarantel gestochen zurück, aus Angst, einer von ihnen könnte im falschen Moment den Kopf heben. Er lehnte die Wange an das kühle Metall der Schachtwand und lauschte seinem heftig klopfenden Herzen. Was war, wenn sie ihn bereits gesehen hatten? Wenn sie sein Herzklopfen ebenfalls hören konnten?

Doch niemand schrie: »He! Da oben steckt ein Junge hinter dem Abdeckgitter!« Niemand schrie: »Packt ihn!« Allmählich legte sich Treys Angst und er konnte weiter zuhören.

»Wir sind jetzt an der Macht!«, fuhr der Mann mit seiner Tirade fort. »*Ich* bin jetzt an der Macht!«

Schlagartig wusste Trey, wer das war. Er hatte die Stimme schon einmal gehört, im Fernsehen, bei den Talbots. Der Mann, den er belauschte, war Aldous Krakenaur, der Chef der Bevölkerungspolizei und das neue Oberhaupt des Landes.

Und solange Aldous Krakenaur seine Männer nicht fortschickte, so dass Trey weiterkriechen konnte, saß er fest; ein einziges Niesen oder Husten trennte ihn davon, von seinem schlimmsten Feind gefasst zu werden.

19. Kapitel

Natürlich löste der Gedanke daran, niesen oder husten zu müssen, genau dieses Bedürfnis in Trey aus. Er erwog zurückzukriechen, eventuell sogar bis zum Toilettenraum, von dem aus er gestartet war, doch inzwischen war seine Angst davor, dass seine Knöpfe über den metallenen Schachtboden schleifen könnten, ins Uferlose gewachsen. Er hielt sich im Moment ohnehin keiner Bewegung für fähig. Gelähmt vor Angst lag er da und hörte weiter zu.

»Wir sind jetzt alles, versteht ihr das nicht?«, wetterte Krakenaur weiter. »Ich habe dieses Haus in Besitz genommen, weil es das einzige im Land ist, das der Erhabenheit meiner Herrschaft und der Großartigkeit meiner Vision gerecht wird.«

Und weil die Grants tot sind und keine Einwände erheben können, dachte Trey. Er fragte sich, ob auch nur einer der Bevölkerungspolizisten, die da so brav vor ihrem Befehlshaber saßen, die Wahrheit kannte. Allein solche aufsässigen Gedanken denken zu können machte ihm ein wenig Mut.

»Und heute treffe ich ein, um ein wenig auszuruhen und die Erfolge meiner ersten ruhmreichen Amtstage zu genießen, und was muss ich feststellen? Gossenjungen zertrampeln meine Außenanlagen und verdrecken meine herrliche Eingangshalle. Und im Keller hocken Gefangene – das alles hat weder Größe noch Würde oder Format. Ich wünsche ein Hauptquartier, das meiner würdig ist!« Er schien mit der

Faust auf den Tisch zu schlagen, um seinem letzten Satz Nachdruck zu verleihen.

Erschrockenes Schweigen folgte, als wisse keiner der Officers etwas darauf zu sagen. Trey war ebenso perplex.

Gefangene im Keller… Gefangene im Keller… Hatte Krakenaur ihm gerade verraten, wo er seine Freunde finden konnte? Um wen sollte es sich sonst handeln?

Unter den Polizisten erhob sich Geraune.

»Der Befehl, neue Rekruten aufzunehmen, wurde doch von *Ihnen* ausgegeben«, sagte jemand vorwurfsvoll.

»Es gibt doch wohl einen Hintereingang?«, fauchte Krakenaur. »Oder irgendeine Hütte in der Nähe, die wir für diese Zwecke in Beschlag nehmen können?«

Niemand antwortete. Nickten die Officers gehorsam oder machten sie zweifelnde Gesichter?, fragte sich Trey.

»Und es ist auch nicht so, als hätten wir Hunderte von Gefangenen im Keller«, murrte ein anderer. »Es gibt nur einen.«

Einen? Trey sank der Mut. Dann befand sich wahrscheinlich nur Mark dort unten. Wo konnten Lee und die anderen sein?

Ein anderer Officer fügte beruhigend hinzu: »Außerdem bleibt der Gefangene nur so lange dort, bis wir mit dem Verhör fertig sind. Dann wird er beseitigt. Es dauert höchstens noch ein paar Stunden.«

Trey schluckte so laut, dass er fürchtete von allen gehört zu werden. *Ein paar Stunden…* Trey blieb keine Zeit, um zu warten, bis Krakenaur seinen Männern die Leviten gelesen und sie entlassen hatte. Er musste *jetzt* an ihnen vorbei und Mark retten.

Er starrte auf das Lichtmuster, das durch das verzierte Abdeckgitter hereinfiel, als könne er es zwingen, sich zu verdunkeln. Doch halt – vielleicht konnte er das wirklich. Wahrscheinlich wirkte das Gitter für die Leute auf der anderen Seite ohnehin dunkel. Er musste nur dafür sorgen, dass sich die Lichtverhältnisse nicht durch Haut, Haare, Hemd und dunkle Hosen veränderten ... Vorsichtig faltete er das Hemd der Polizeiuniform auf dem Schachtboden auseinander. Mit einer blitzschnellen Bewegung – so schnell, dass er gar keine Zeit hatte, darüber nachzudenken – hob Trey es hoch und deckte es von innen über das Abdeckgitter.

Niemand bemerkte etwas.

Trey ließ sich einige Minuten Zeit, um erleichtert durchzuatmen. Dann rutschte er vorwärts, während er das Hemd zuerst mit der Hand, dann mit dem Oberkörper und schließlich mit den Füßen an seinem Platz hielt.

Ausnahmsweise sorgte er sich einmal nicht um klackernde Knöpfe.

Die ganze Prozedur ging so reibungslos vonstatten, dass Trey zu glauben begann, er könne als Schlangenmensch Karriere machen. In diesem Moment, gerade als er die Beine vom Gitter wegziehen wollte, sah er zurück und begriff, dass das Uniformhemd sich an seinem Gürtel verhakt hatte, als er mit dem Bauch daran vorbeigerutscht war. Er war die ganze Zeit über für jeden deutlich sichtbar gewesen, der den Kopf hob.

Augenblicklich zog er das Bein vom Abdeckgitter fort und konnte nur mit knapper Not verhindern, dass er mit dem anderen lautstark gegen die Seitenwand des Schachts trat. Dann wartete er.

Hat mich irgendjemand gesehen?

Es war qualvoll, zu warten und zu wissen, dass er nichts mehr tun konnte, um seinen Fehler zu korrigieren. Doch unten fuhr Krakenaur fort seine Männer zu tadeln.

»Wir haben unserem Volk gegenüber eine Pflicht!«, schrie er.

Niemand hatte zum Abdeckgitter hochgeschaut. Niemand hatte Trey gesehen.

Gott sei Dank, dachte er mit dem Gefühl, von nun an jede weitere Sekunde seines Lebens als Geschenk zu betrachten. Denn nichts anderes war es. Er hätte es verdient gehabt, entdeckt zu werden, aber man hatte ihn nicht entdeckt.

Dann konzentrierte er sich auf die Aufgabe, Mark zu finden.

Im Laufe der nächsten Stunde verzweifelte Trey mehrmals bei dem Versuch, einen Weg hinunter in den Keller zu finden. Die Luftschächte der Grant-Villa waren wie ein Labyrinth, das sich hierhin und dorthin wand und in völlig unregelmäßigen Abständen verzweigte. Mehr als einmal erwog Trey einfach kehrtzumachen, in irgendeinem leeren Zimmer aus der Lüftungsöffnung zu gleiten und von dort nach der Treppe zum Keller zu suchen. Doch der Anblick von Krakenaur hatte ihn erschüttert. Außer in den Schächten konnte er in jedem Raum des Hauses die Gefahr förmlich spüren. Durch das Kriechen scheuerte er sich die Hosenbeine auf und rieb sich die Handflächen wund beim vorsichtigen Vorantasten. Doch all das war immer noch besser als mitten unter den Truppen der Bevölkerungspolizei zu stecken.

Schließlich griff sein müder Arm zum x-ten Mal in die end-

131

lose Dunkelheit und berührte – gar nichts. Nur ein Loch, an der Stelle, an der das Rohr geradewegs in die Tiefe zu führen schien.

So hatte sich Trey das Ganze nicht vorgestellt. Er hatte eher an ein schöne, sanfte Neigung gedacht – wie bei den Rutschen, die er auf Bildern von Kinderspielplätzen gesehen hatte.

Ich kann das, sprach Trey sich Mut zu. *Ich muss.*

Mit einer Hand tastete er nach der Schachtwand auf der anderen Seite der Öffnung. Sobald er Metall berührte, hievte er seinen Oberkörper über das Loch, steckte die Beine in den Schacht und stemmte Füße und Knie gegen die Wand der Metallrutsche. Er stieß sich den Kopf an der Decke und seine Beinmuskeln begannen augenblicklich vor Anstrengung zu zittern. Doch er fiel nicht. Auch wenn jede Bewegung schmerzte, rutschte er Zentimeter für Zentimeter nach unten.

Wie weit kann es denn noch sein?, fragte er sich. *Wie hoch sind die Decken der Grants eigentlich?*

Schließlich berührte Treys Fuß etwas, das sich direkt unter ihm befand. Entzückt über die Aussicht, bald auf festem Boden zu stehen, streckte er die Beine aus.

Na ja, jedenfalls auf festem Schachtboden, verbesserte er sich selbst.

Er nahm die steifen, schmerzenden Arme von der Schachtwand, so dass sich sein ganzes Gewicht auf die Beine und den darunter liegenden Schacht verlagerte.

Plötzlich schien etwas zu reißen und Trey stürzte geradewegs in die Tiefe. Als er verzweifelt mit den Armen ruderte, um etwas zu packen, das seinen Sturz aufhalten könnte, streiften seine Finger Plastik. Er ergriff eine Art Plastikschlauch, der rechts von ihm herabhing. Bruchteile einer Sekunde später schlug er mit einem dumpfen Laut auf Zementboden auf.

Trey rührte sich nicht; er war so benommen, dass er weder Arme noch Beine bewegen mochte, um zu sehen, ob etwas gebrochen war. Im Halbdunkel starrte er nach oben und versuchte zu begreifen, was geschehen war. Offensichtlich war der Schacht unter ihm eingebrochen, aber warum? Er betrachtete den Plastikschlauch, den er immer noch an die Brust gedrückt hielt. Aha. Anscheinend bestanden die Schächte hier unten im Keller nicht mehr aus Metall, sondern aus Plastik. Der Schlauch, den er umklammerte, hatte in etwa die Wandstärke eines Müllsacks.

Immerhin war er stabil genug, um deinen Sturz abzubremsen, beruhigte er sich. *Und niemand weiß, dass ich hier bin.*

»Was war das?«, rief jemand.

Korrigiere, dachte Trey. *Zumindest haben sie mich noch nicht gefunden und mir bleibt noch Zeit, mich zu verstecken.*

Er sah sich um, aber der Raum, in dem er sich befand, war leer.

Dann verstecke ich mich im Schacht, überlegte er. Doch das Plastikende war zu eng. Selbst wenn es ihm gelänge, rechtzeitig hineinzuklettern, würden seine Schultern den Schlauch ausbuchten. Jeder, der kam, um nachzusehen, würde ihn auf der Stelle entdecken.

Dann muss ich eben wieder in den Metallschacht, dachte Trey, während er sich immer noch erstaunlich ruhig fühlte.

Er stand auf – seine Beine funktionierten tatsächlich noch – und hob die Arme.

Das Ende des Metallschachts befand sich gut einen halben Meter über seinen Fingerspitzen. Es gab nichts, auf das er sich hätte stellen können, und so hoch springen konnte er nicht – es war aussichtslos.

Er hörte Schritte auf sich zukommen.

20. Kapitel

Weißt du, was das wahrscheinlich war?«, rief eine zweite Stimme. »Mäuse. Vielleicht auch Ratten. He, ich sag dir was. Du gehst da hinten rein und scheuchst sie raus, dass sie direkt in meinen Käfig flitzen, und ich fang sie mit bloßen Händen. Hab ich schon öfter gemacht. Schon mal über offenem Feuer gebratene Ratten probiert? Mmm-mmm. Lecker, lecker.«

Es war Marks Stimme, aber sie klang derber und hinterwäldlerischer denn je. Trey wurden vor Erleichterung die Knie weich.

Aber was nutzte das, hielt er sich vor Augen. *Das bedeutet nur, dass man uns* beide *einsperren wird.*

Die Schritte blieben stehen.

»Ich bin ein Wachoffizier der Bevölkerungspolizei«, schnarrte die erste Stimme. »Ich esse keine Ratten.«

»He, he, war nicht so gemeint«, sagte Mark. »Hab vergessen, wen ich da vor mir hab. Bin's einfach nicht gewöhnt, mit hohen Tieren umzugehen. In dem vornehmen Schuppen hier gibt's wahrscheinlich gar keine Ratten oder Mäuse.«

»Hmm«, brummte der Wachtposten. Doch wie durch ein Wunder ging er nicht weiter auf Treys Kellerraum zu. Stattdessen murmelte er: »Das ist nicht lustig.« Dann begannen sich die Schritte zurückzuziehen. Das Echo, das sie erzeugten, ließ Trey sogar vermuten, dass der Mann eine Treppe hinaufstieg.

Trey atmete langsam aus. Dann holte er tief Luft und schlich auf Zehenspitzen zu einem Gang, der in den restlichen Keller hinauszuführen schien. Mit dem Gefühl, eine große Heldentat zu begehen, spähte er um die Ecke.

Mark hockte tatsächlich mitten im Raum in einem Käfig. Es war ein kleiner Käfig, in dem er sich nicht einmal aufrichten konnte. Trey hatte den Eindruck, dass er gar nicht für Menschen gedacht war. Es schien, als würde die Bevölkerungspolizei nur improvisieren und benutzen, was immer bei den Grants herumlag.

Ob das ein Vorteil ist, um Mark zu befreien?, fragte sich Trey.

Der Wachtposten war gerade nirgends zu sehen, allerdings stand Marks Käfig direkt unter einer gleißend hellen Lampe. *Ich warte einfach, bis das Licht ausgeschaltet wird*, überlegte Trey. *Dann schleiche ich mich heran.* Hinter dem Käfig stand ein Stapel Kisten. Dort konnte er sich verstecken.

Treys Pläne entwickelten sich prächtig. Fragte sich nur, was er und Mark tun sollten, nachdem Trey ihn befreit hatte? Wenn ihnen genug Zeit blieb, ein paar Kisten zu dem zerrissenen Schachtende hinüberzuschieben ... wenn sie ganz leise waren ... wenn die Kisten stabil genug waren, um hinaufzusteigen ... wenn sie es schafften, wieder in den Schacht hinaufzuklettern ... wenn all das gelingen würde, wären Mark und er in Sicherheit.

Trey war nicht wohl dabei, mit so vielen »wenns« kalkulieren zu müssen, doch allem Anschein nach hatte er keine Wahl. Er setzte sich hin und wartete, dass das Licht ausging.

Stattdessen rief der Wachtposten wenig später hinunter: »Gefangener, machen Sie sich bereit zum Verhör.«

Trey dachte an das Gespräch, das er kurz zuvor belauscht hatte, und verzog das Gesicht. *Außerdem bleibt der Gefangene nur so lange dort, bis wir mit dem Verhör fertig sind. Dann wird er beseitigt. Es dauert höchstens noch ein paar Stunden.* Wenn ihm nun nicht genug Zeit blieb, um Mark zu retten, ehe sie ihn abführten? Wie viel Zeit hatte Trey bereits damit vergeudet, durch die Luftschächte zu irren?

Trey spähte noch einmal um die Ecke in den angrenzenden Kellerraum. Ohne weiter nachzudenken schoss er hervor und glitt zwischen die aufgestapelten Kisten und die Wand.

Trey rannte so leise er konnte, aber Mark sah ihn trotzdem – und strahlte über das ganze Gesicht.

Dann musste er das Lächeln fortwischen. Schritte kamen die Treppe herab. Trey duckte sich hinter die Kisten. Durch einen kleinen Spalt konnte er Marks Käfig gerade so überblicken. Er sah einen Bevölkerungspolizisten auf Mark zukommen. Seine Brust war übersät mit Orden. Trey vermutete, dass dieser Mann wesentlich mehr zu sagen hatte als der Wächter.

»Warum haben Sie versucht ins Hauptquartier der Bevölkerungspolizei einzudringen?«, herrschte der Officer Mark an.

»Na jaa, also, das ist so: Eigentlich hab ich gar nicht gewusst, dass es euer Hauptquartier ist«, sagte Mark und dehnte seine Worte, um möglichst langsam und einfältig zu klingen. »Und eindringen wollte ich eigentlich auch nicht.«

Mark klang so dumm und unschuldig, dass Trey lächeln musste. Wer hätte gedacht, dass er ein so guter Schauspieler war?

»Ich war draußen im Wald und hab mich nach was Essbarem umgesehn, als mir der Zaun ins Auge gefallen ist«, fuhr Mark fort. »Von dem Schuppen hier hab ich gar nix gewusst, nur dass er einem feinen Pinkel gehört. Ich wär dem Zaun auch nie zu nahe gekommen, wenn der Eichkater nicht ausgerechnet unterm Stacheldraht durch wär. Ich war so wild auf das Vieh, dass ich über den Zaun nicht groß nachgedacht hab. Ich hab ja schließlich nix gemacht. Und dann – zack! Als Nächstes werd ich hier wieder wach. Also, wie sieht's aus? Warum lasst ihr mich nicht laufen, damit ich mir den Eichkater holen kann?«

Der Officer schnaubte.

»Jagen ist ein schwer wiegender Verstoß gegen mehrere Regierungserlasse. Ist Ihnen klar, dass Sie gerade ein schweres Verbrechen gestanden haben?«

Mark ließ den Kopf hängen.

»Ja, Sir«, sagte er. »Jetzt schon. Dabei hab ich nicht mal 'ne Flinte oder so was dabeigehabt – bloß Pfeil und Bogen. Und mächtig Kohldampf hatte ich auch.«

»Ist Ihnen nicht bekannt, dass die Bevölkerungspolizei jedem zu essen gibt, der in ihre Dienste tritt – und den jeweiligen Angehörigen?«, fragte der Officer.

»Nein, Sir«, sagte Mark. »Davon hab ich noch nie gehört. Gilt das immer noch? Wo muss ich hin, um bei euch mitzumachen? Ich wär ein prima Angestellter. Und ihr müsstet nur ein Maul stopfen – meine alten Herrschaften haben vor bald fünf Jahren das Zeitliche gesegnet und ich hab weder Brüder noch Schwestern noch sonst jemand.«

Schweigend musterte der Officer Mark. Dann fragte er: »Was ist mit Ihrem Pfeil und Bogen passiert?«

Mark sah ihn verblüfft an.

»Donnerkeil!«, sagte er. »Keine Ahnung. Muss mir aus der Hand gefallen sein, als mich der Zaun erledigt hat.« Sein Gesicht leuchtete auf. »He, ich hab 'ne Idee. Warum gehst du nicht los und suchst mein Zeug. Dann siehst du ja, dass ich nicht gelogen hab.«

Der Officer kniff die Augen zusammen, als wittere er eine Falle, schien aber zu dem Schluss zu kommen, dass Mark für solche Tricks nicht clever genug war.

»*Ich* werde bestimmt nicht draußen herumlaufen, um illegale Waffen zu suchen«, sagte der Officer ungehalten. »Aber – ich werde einen meiner Männer losschicken. Dann werden wir ja sehen, wie wir weiter mit Ihnen zu verfahren haben.«

Damit machte er auf dem Absatz kehrt und ging.

Trey blieb in seinem Versteck, bis er sicher war, dass der Officer die Treppe erklommen hatte. Dann streckte er den Kopf heraus.

»Wow, Mark, woher wusstest du, dass er darauf reinfällt?«, fragte er flüsternd.

»Es stand ihm ins Gesicht geschrieben, dass er furchtbar gern jemanden herumkommandieren will. Und dass er mich für einen absoluten Vollidioten hält. Ich habe mich daran erinnert, was du über Grammatik gesagt hast, und hab den Spieß einfach umgedreht – ich habe absichtlich ›nix‹ gesagt.«

»Ich weiß«, erwiderte Trey.

»Ich habe uns ein bisschen Luft verschafft, aber wie viel Zeit wir haben, weiß ich nicht. Wenn er bald zurückkommt, kann ich immer noch behaupten, dass jemand Pfeil und Bogen geklaut hat. Aber ich hoffe, so weit kommt es nicht – wie wär's, wenn du mich jetzt hier herausholst?«

»Okay, okay«, murmelte Trey. Er schlüpfte hinter den Kisten hervor. Geblendet vom gleißenden Licht – und verängstigt, weil er allen Blicken preisgegeben war – tastete er nach einer Art Riegel, um die Käfigtür zu öffnen.

Doch der Käfig hatte keinen Riegel. Er war mit einem dicken Vorhängeschloss gesichert.

»Mark – ich brauche einen Schlüssel«, stotterte Trey.

»Nein, brauchst du nicht«, beruhigte ihn Mark. »Bloß eine Zange oder einen Drahtschneider – oder ein Stück gebogenen Draht, mit dem sich das Schloss knacken lässt.«

»Wo soll ich das hernehmen?«, fragte Trey.

»Das hier ist doch ein Keller, oder nicht? Sieh dich um!«

Trey zog sich hinter seine Kisten zurück, weil er fand, dass er sich genauso gut verstecken konnte, während er dort nachsah. In der ersten Kiste befanden sich Tischdecken. In der Kiste daneben war Porzellan, eingewickelt in endlose Schichten aus dünnem, zerknittertem Papier.

»Trey?«, flüsterte Mark. »Danke, dass du gekommen bist, um mich herauszuholen. Ich hätte nie geglaubt, dass du so mutig bist. Ich habe gedacht, ich wäre ganz allein.«

»Noch habe ich dich nicht gerettet«, sagte Trey mit zusammengebissenen Zähnen. Er war bei der dritten Kiste, die weitere Tischdecken enthielt.

»Wie hast du es in den Keller geschafft?«, fragte Mark.

Leise und ohne die Suche zu unterbrechen berichtete ihm Trey. Mark gab einen leisen, anerkennenden Pfiff von sich.

»Du bist der Bevölkerungspolizei beigetreten?«, wiederholte er. »Und an *Aldous Krakenaur* vorbei durch die Luftschächte gekrochen? Dich hab ich wirklich völlig falsch eingeschätzt. Du bist der mutigste Junge, der mir je begegnet ist!«

Trey hatte keine Zeit, sich stolz in die Brust zu werfen. Er war bei der letzten Kiste angelangt. Sie war voller kostbarer Vasen.

Verzweifelt sah er sich um. Befanden sich sonst noch irgendwo Kisten im Keller? Müssten die Grants nicht irgendetwas *Nützliches* hier unten lagern?

Doch die Kisten und Marks Käfig waren die einzigen Gegenstände im ganzen Kellergeschoss.

Trey bemühte sich Mark seine Angst nicht zu zeigen. Er rüttelte am Schloss, als glaube er es mit bloßen Händen aufbrechen zu können. Mark bemerkte es.

»Oh«, sagte er und wandte den Kopf ab.

»Vielleicht –«, sagte Trey, doch er hatte keinen Plan, den er vorschlagen konnte.

In diesem Augenblick hörten sie erneut Schritte. Sekunden bevor der Officer um die Ecke bog, hechtete Trey hinter die Kisten.

»Du hattest keinen Hunger«, knurrte der Polizist. »Oder wie erklärst du das hier?«

Er hielt Mark etwas vor das Gesicht. Zunächst konnte Trey nicht erkennen, was es war, doch als er seine Position ein wenig veränderte und sehen konnte, was der Polizist in der

Hand hielt, unterdrückte er nur mit Mühe einen Schreckenslaut.

Es war der Proviantsack, den Mark vom Pick-up mitgenommen hatte. Der Rucksack, den er kurz vor seinem Versuch, durch den Stacheldraht zu klettern, abgelegt und den Trey später verbittert weggekickt hatte.

Der Sack mit den Essensvorräten.

»Was soll das heißen, ›Wie erklärst du das hier?‹«, fragte Mark. »Ich hab das Ding noch nie gesehen. Was soll das sein?«

Doch seine Stimme schwankte und er hatte mit der Antwort einen Moment zu lange gezögert. Es war nur allzu offensichtlich, dass er den Proviantsack sehr wohl schon einmal gesehen hatte. Und dass es sein eigener war.

Langsam zog der Officer die Schnur des Proviantsacks auf und begann den Inhalt herauszuholen: eine Schachtel Rosinen. Eine Packung Erdnüsse. Einen Apfel. Zwei Äpfel, drei. Kartoffeln. Bananen. Pfirsiche. Cornflakes.

»Ich frage dich noch einmal«, wiederholte der Officer. »Warum hast du versucht ins Hauptquartier der Bevölkerungspolizei einzudringen?«

»Hab ich nicht«, erwiderte Mark, doch seine Stimme klang jetzt noch unsicherer. Nicht einmal der größte Einfaltspinsel der Welt hätte ihm geglaubt.

»Du hast es versucht«, sagte der Office ruhig, der seine Rolle sehr zu genießen schien. »Und dein Urteil lautet folgendermaßen: Du wirst bei Sonnenaufgang hingerichtet.«

Mark blieb vor Schreck die Luft weg. Trey zuckte so heftig zurück, dass er gegen die Wand stieß und nur mit knapper Not einen Schmerzensschrei unterdrücken konnte. Das alles war seine Schuld. Warum hatte er den Rucksack zur Seite ge-kickt und einfach liegen gelassen? Warum hatte er ihn nicht mitgenommen oder irgendwo sicher versteckt?

Wenn man dumme Fehler macht, nützt einem auch Hel-dentum wenig, dachte Trey. Es war die reinste Ironie – ja, jetzt verstand er die Bedeutung dieses Wortes. Sein Leben lang war er stolz gewesen auf seine Intelligenz, während er sich seiner Feigheit geschämt hatte. Und jetzt, wo er endlich einmal ein wenig Mut bewiesen hatte, brachte seine Dummheit seinem Freund den Tod.

Das Einzige, was ich kann, ist, mir fremde Sprachen anzu-eignen, und die sind zu nichts nütze, dachte Trey. Doch da blitzte eine Erinnerung in ihm auf: Als er sich voller Angst auf der Veranda der Talbots versteckt hatte, schien es, als hätten ihm seine Lateinkenntnisse das Leben gerettet. Aber warum? Was war schon Besonderes dabei, das Wort »*liber*« mit »frei« zu übersetzen?

Und mit einem Mal glaubte Trey zu verstehen. Vielleicht waren die Begriffe »*liber*« und »frei« Kennworte. Kennworte für Menschen, die an mehr Freiheit glaubten, als die Bevölke-rungspolizei gewährte?

Trey wartete, bis der Officer gegangen war, dann flüsterte er Mark zu: »Ich glaube, ich weiß jetzt, wie ich dich retten kann. Du musst ›*liber*‹ rufen!«

»Wie?«, sagte Mark.

»*Liber*«, wiederholte Trey. »Es bedeutet ›frei‹.«

»*Liber!*«, schrie Mark.

»Tu es noch mal«, flüsterte Trey. »Und noch mal. Und ab und zu rufst du ›frei‹ dazwischen.«

»*Liber!*«, wiederholte Mark gehorsam. »*Liber! Liber!* Frei! *Liber!* Frei! *Liber!* Frei!«

Zuerst spulte er die Worte nur ab. Doch schon bald klang seine Stimme so eindringlich, als flehe er wirklich um Freiheit. Trey bekam eine Gänsehaut. Hoffentlich drangen die Rufe durch den kaputten Luftschacht, aus den verzierten Abdeckgittern bis in Aldous Krakenaurs Büro.

Mark schrie, bis er heiser war. Doch das Einzige, was geschah, war, dass der Wachtposten das Licht ausmachte und Mark aufhörte zu schreien.

21. Kapitel

Mark?«, flüsterte Trey. »Es ist alles meine Schuld. Ich habe den Proviantsack draußen liegen gelassen. Ich habe ihn weggekickt und dann vergessen.«

»Ich habe ihn auch vergessen«, flüsterte Mark mit heiserer Stimme zurück.

»Sie haben mir eine Uniform gegeben. Vielleicht kann ich sie anziehen und so tun, als sei ich ein Wächter, dann könnte ich – o nein«, stöhnte Trey.

»Was ist?«, fragte Mark.

»Ich habe die Uniform im Luftschacht im Erdgeschoss zurückgelassen«, gestand Trey. Er hatte sie nicht mitgenommen, als er sich durch den Schacht in den Keller herabließ. Er hatte nicht mal daran gedacht.

»Oh«, sagte Mark. Und dieses kleine Wort, nicht mehr als eine Silbe, sprach Bände. Mark hatte aufgegeben. »Du – du solltest jetzt gehen«, fügte er hinzu. »Damit sie dich nicht auch noch erwischen.«

»Nein«, sagte Trey, und statt sich weiter zusammenzukauern, setzte er sich zum ersten Mal aufrecht hin. »Niemand sucht nach mir und du hast dem Wachtposten Angst vor Ratten und Mäusen eingejagt. Ich bleibe bis –, so lange es geht.«

Er wollte nicht aussprechen »bis sie dich exekutieren«. Doch die unausgesprochenen Worte schienen dennoch in der Luft zu hängen. Kurz darauf flüsterte Mark: »Danke.«

Unter all den schlimmen Erfahrungen, die Trey im Laufe seines Lebens gemacht hatte, war dies die erste Tragödie, die sich im Vorhinein ankündigte. Der Tod seines Vaters, seine Mutter, die ihn im Stich gelassen, der Chauffeur, der ihn zurückgelassen hatte, und die Machtübernahme durch die Bevölkerungspolizei – alle diese Schicksalsschläge waren plötzlich und unerwartet eingetreten. Es erschien ihm nicht fair, im Voraus zu wissen, dass Mark sterben würde, und nichts dagegen tun zu können.

»Vielleicht kannst du die Gitterstäbe des Käfigs auseinander biegen, Mark?«, schlug Trey vor. »Du bist stark –«

»Hab ich schon versucht«, entgegnete Mark. »Der Käfig ist noch stärker.« Er schwieg einen Moment und meinte dann: »Ich glaube, ich kann Luke jetzt besser verstehen. Für ihn war es, als hätte er sein Leben lang in einem Käfig gesessen. Und ich habe geglaubt, er würde sich bloß anstellen.«

Dies war nicht der richtige Augenblick, Mark daran zu erinnern, wie gefährlich es war, Lees wahren Namen auszusprechen, und dass es sicherer war, ihn bei seinem falschen Namen zu nennen.

»Als er zurückkam, war es fast so, als hätte er mich überholt«, erzählte Mark, als rede er im Traum. »Er hatte Abenteuer erlebt und die Welt gesehen und dieser kleine Peter – oder Smits – hat zu ihm aufgesehen, als wäre er der größte Held auf Erden.« Mark zögerte kurz und gestand dann: »Ich glaube, ich war eifersüchtig.«

Trey war nicht der Ansicht, dass Lee mehr von der Welt gesehen hatte als die Hendricks-Schule und das Haus der Talbots, aber er verstand, was Mark meinte. Auch er hatte Lee immer so gesehen. In der Hendricks-Schule hatte Lee sogar dem Verräter Jason die Stirn geboten. Und er war in ein brennendes Gebäude zurückgerannt, um seine Mitschüler zu retten. Trey hatte nie verstanden, woher Lee den Mut nahm. Obwohl – auch Mark kam ihm stark und mutig vor.

»Mark, du bist hergekommen, um deinen Bruder zu retten. Du bist genauso ein Held«, wandte er ein.

»Ich hatte aber keinen Erfolg«, flüsterte Mark. »Ich weiß nicht einmal, wo Luke ist. Sie werden mich umbringen und meine Eltern werden nie erfahren, was aus uns geworden ist. Vielleicht – vielleicht kommen sie durch mich sogar meiner Familie auf die Spur und bestrafen sie auch ...« Er brach ab.

»Ein Riesenschlamassel«, sagte Trey. »Aber das ist nicht deine Schuld.«

Er wusste nicht einmal, wie er selbst entkommen sollte, wenn Mark erst fort war. Doch es kam ihm selbstsüchtig vor, an die eigene Zukunft zu denken, während es für Mark keine mehr gab.

»Es war dumm von mir, herzukommen und zu glauben, ich könnte Luke helfen«, sagte Mark bitter.

»Nein, war es nicht«, widersprach Trey. »Wir mussten es versuchen.«

Seine Worte hatten selbst in seinen eigenen Ohren einen falschen Klang. Wie gefährdet Trey auch immer sein mochte, er saß nicht zum Tode verurteilt in einem Käfig wie Mark. Mit welchem Recht erzählte er ihm, sie hätten das Richtige getan?

Aber Mark schien es ihm nicht zu verübeln.

»Trey?«, sagte er. »Wenn *du* hier drinnen gesessen hättest

und ich wäre draußen gewesen ... ich hätte bestimmt nicht den Mut gehabt zu tun, was du getan hast. Ich wäre nicht auf die Idee gekommen, der Bevölkerungspolizei beizutreten. Und durch die Schächte zu kriechen! So eng, wie die sind. Das hätte ich nicht gekonnt. Du bist mutiger als ich.«

»Die Menschen zeigen ihren Mut auf verschiedene Weise«, meinte Trey. Der Gedanke war ihm gerade erst gekommen.

»Aber – warum hast du das gemacht?«, wollte Mark wissen. »Sei mir nicht böse, aber bisher kamst du mir vor wie der größte Feigling, der mir je über den Weg gelaufen ist. Warum hast du dich hier hereingeschmuggelt, um mich zu suchen?«

Trey dachte über Marks Frage nach.

»Ich bin mir nicht sicher«, gab er schließlich zur Antwort. »Vielleicht wollte ich einfach nicht allein zurückbleiben.«

Mark unterdrückte ein Lachen.

»Es gibt einfachere Möglichkeiten, um der Einsamkeit aus dem Weg zu gehen«, meinte er.

»Ich weiß nicht«, sagte Trey. »Mich lassen sie immer allein zurück. Mein Vater ist gestorben, meine Mutter hat mich verlassen, der Chauffeur ist ohne mich davongefahren. ... Du warst der Erste, der mich nicht absichtlich zurückgelassen hat. Der Erste, der zurückkommen wollte. Also musste ich alles tun, um dich zu finden.«

Mark schien über seine Worte nachzudenken. Dann sagte er: »Warte mal. Wenn dein Vater gestorben ist, dann hat er das doch sicher nicht mit Absicht gemacht, oder?«

»Wohl nicht«, gab Trey zu. Dass er einen Herzschlag erlitten und daran gestorben war, konnte er seinem Vater schwerlich zum Vorwurf machen. Aber so leicht wollte er ihn nicht von der Angel lassen. Er wollte nicht, dass Mark den Eindruck gewann, sein Vater sei ein toller Typ gewesen, der einfach zu früh gestorben war.

»Aber hör dir das mal an«, sagte Trey und der Zorn, den er ein ganzes Jahr lang unterdrückt hatte, kochte plötzlich hoch. »Mein Dad hat einen falschen Ausweis für mich besorgt, als ich noch ein Baby war. Trotzdem hat er mich versteckt und mich nirgends hingelassen – er hat mir nicht einmal gesagt, dass er diesen Ausweis für mich hatte. Nie.«

»Vielleicht hat er geglaubt, dass er nicht gut genug ist, und ihn nur als letzte Sicherheitsmaßnahme behalten. Für den Notfall«, meinte Mark.

»Aber nachdem er gestorben war, hat meine Mutter mich zur Hendricks-Schule gefahren, mich vor der Tür abgesetzt und gesagt, es sei zu gefährlich für mich, sie jemals wiederzusehen.«

»Das Gleiche haben alle gesagt, als Luke fortging«, sagte Mark.

»Aber wer hatte nun Recht, Mum oder Dad?«, flüsterte Trey.

»Ich weiß es nicht«, sagte Mark. »Was würdest du tun, wenn du ein drittes Kind hättest?«

Diese Frage hatte Trey sich noch nie gestellt. Er hatte nie darüber nachgedacht, wie es sein musste, die Kontrolle zu haben und Macht über das Leben eines anderen Menschen. Er dachte an all die Aufmerksamkeit, die sein Vater ihm gewidmet hatte, und wie er immer geschimpft hatte: »Deine älteren Brüder haben sich nie etwas aus Latein gemacht. Ich bin so froh, dass ich dich habe!« Und Trey, der seine großen Brüder nie kennen gelernt hatte, weil sie sehr viel älter waren als er und weit weg wohnten, hatte vor Stolz gestrahlt.

Doch er dachte auch an das starre Gesicht der Mutter, als sie ihn vor der Hendricks-Schule zurückgelassen hatte. Sie hatte geweint, als sie davonfuhr.

War es möglich, dass sowohl sein Vater als auch seine Mutter geglaubt hatten das Richtige zu tun?

Auch er und Mark hatten geglaubt das Richtige zu tun, als sie losgefahren waren, um Lee zu helfen. Marks Eltern waren da sicher ganz anderer Ansicht, jetzt, wo zwei ihrer Söhne fort waren.

Es war alles so verwirrend, all diese Entscheidungsmöglichkeiten im Leben. Und all die Fehler, die man machen konnte.

Kein Wunder, dass Treys Vater geglaubt hatte seinem Sohn einen Gefallen zu tun, indem er ihn zu Hause behielt und ihm Grammatikregeln beibrachte, die die Welt sicher und geordnet erscheinen ließen.

Trey schloss für einen Moment die Augen, als könne das die Verwirrung und die Dunkelheit vertreiben. Als er sie wieder öffnete, sah er auf der anderen Kellerseite einen schwachen Lichtschein auf und ab hüpfen. Eine Taschenlampe.

»Ist es ... schon Morgen?«, ächzte Mark. »Kommen sie mich holen?«

»Pst!«, zischte die Person hinter der Taschenlampe.

Warum sollten sich irgendwelche Bevölkerungspolizisten oder Wächter, die Mark holen kamen, um die Lautstärke sorgen? Warum schalteten sie nicht einfach das Licht an? Was ging hier vor?

22. Kapitel

Das Licht kam näher.

»Sprich leise«, wies eine Stimme Mark an. »Warum hast du ›liber‹ gerufen?«

»Ich dachte, es rettet mir vielleicht das Leben«, antwortete Mark mit gedämpfter Stimme. »Ist das so?«

Der Wachmann – denn das war er; zwar ein anderer, aber dennoch in der Uniform eines Bevölkerungspolizisten – leuchtete Mark mit der Taschenlampe ins Gesicht.

»Wie soll dir ein Wort das Leben retten können?«, fragte der Mann.

»Weiß ich nicht«, gestand Mark.

Trey sank der Mut. Das konnte Mark nicht wissen. Er hatte es ihm nicht erklärt. Aber schließlich wusste er selbst auch nicht viel mehr. Er hatte einfach ins Blaue geraten.

»Warum dieses Wort?«, fuhr der Wachmann fort. »Woher kennst du das Wort ›liber‹?«

»Von einem Freund«, sagte Mark.

»Wer ist dieser Freund?«

»Das kann ich nicht sagen.«

»Hat dir dein Freund nicht gesagt, dass du lieber flüstern solltest statt zu rufen?«

»Nein«, erwiderte Mark. »Er hat gesagt, ich soll rufen.«

Der Mann leuchtete Mark weiter ins Gesicht, das er aufmerksam zu studieren schien.

»Du bist keiner von uns«, sagte er schließlich. »Du bist eine Gefahr, kein Verbündeter. Ich kann dir nicht helfen.«

»Bitte –«, sagte Mark.

Doch der Polizist war bereits auf dem Rückweg und leuchtete mit der Taschenlampe zur Treppe.

»Ich bitte Sie«, flehte Mark.

Der Mann drehte sich um.

»Vielleicht ist dein Freund auch eine Gefahr für uns. Du könntest uns seinen Namen nennen«, sagte er.

Trey zuckte zusammen. Der Mann versuchte zu handeln – er verhandelte um Treys Leben ebenso wie um Marks. Wie würde Mark darauf reagieren?

»Warum sollte mir an euch etwas liegen?«, warf Mark ein. »Gerade hast du gesagt, ich bin keiner von euch, schon vergessen?«

Der Wachmann zuckte die Achseln.

»Wie du willst«, sagte er und ging weiter in Richtung Treppe.

Der Klang seiner Schritte dröhnte in Treys Ohren wie eine unheilvolle Verkündung. Jeder Schritt verringerte die Chance, Mark zu retten.

An welchem Punkt würde es ganz unmöglich werden?

Trey lauschte und rang mit sich. Als der Mann die unterste Treppenstufe erreichte, hielt er es nicht länger aus.

»Wie könnt ihr ›liber‹ als Kennwort benutzen, wenn ihr gar nicht an Freiheit glaubt?«, rief er. »Wie könnt ihr einfach so dastehen und einen unschuldigen Jungen sterben lassen?«

Der Mann machte auf dem Absatz kehrt und suchte mit der Taschenlampe den ganzen Keller ab.

»Wo bist du?«

Zum ersten Mal hörte Trey Unsicherheit in seiner Stimme –
vielleicht sogar Angst.

»Sie wissen nicht, wo ich bin«, forderte er den Mann heraus.

Der Lichtstrahl verharrte auf dem Stapel Kisten, hinter
dem Trey sich versteckt hielt.

»Sie wissen nicht, wie groß er ist«, fügte Mark hinzu.
»Und Sie wissen nicht, wie viele noch hier unten sind. Und
alle sind auf meiner Seite.«

Trey feuerte Mark innerlich an und musste über den Tri-
umph in seiner Stimme grinsen. Mark klang so zuversicht-
lich, dass Trey fast versucht war sich nach den vermeintlichen
Mitstreitern umzusehen. Doch schon kam die Angst: Was
sollte er tun, wenn der Wachmann die Treppe hinaufging und
mit einer Horde Bevölkerungspolizisten zurückkam?

Doch das tat er nicht. Er rührte sich überhaupt nicht.

»Pst«, sagte er. »Was wollt ihr?«

»Frei sein«, antwortete Trey, ehe Mark etwas sagen
konnte.

»Und ihr glaubt, *das* durch den Keller des Hauptquartiers
zu brüllen würde die Sache voranbringen?«, fragte der
Mann.

»*Sie* hat es immerhin hierher gebracht, oder nicht?«,
meinte Mark.

Der Wachmann leuchtete mit der Taschenlampe der Reihe
nach die Kisten ab. War es nur Einbildung oder verharrte der
Lichtstrahl ausgerechnet auf der Stelle am längsten, an der
Trey sich versteckt hielt?

»Wenn du eine ganze Legion von Freunden hier unten hast, warum brauchst du dann mich?«, konterte der Mann.

Mark antwortete nicht und Trey fürchtete sich vor einer Antwort.

»Warum seid ihr hier?«, fragte der Mann. »Du und dein Freund?«

»Wir haben meinen Bruder gesucht«, sagte Mark.

Trey holte scharf Luft. An Marks Stelle hätte er die Frage nicht beantwortet.

»Ist dein Bruder ein neuer Rekrut?«, erkundigte sich der Wachmann.

»Nein«, sagte Mark. »Er war schon hier, bevor die Bevölkerungspolizei das Haus übernahm. Haben Sie eine Ahnung, was mit ihm passiert ist?«

Jetzt wurde Trey schwindelig vor Angst. Vielleicht hyperventilierte er auch. »Verrate ihm nichts!«, hätte er Mark am liebsten zugerufen, »du könntest Lee damit umbringen!« Doch er brachte kein Wort heraus.

In diesem Augenblick tat der Wachmann etwas Unglaubliches. Er setzte sich auf die unterste Treppenstufe.

»Ich mache mir auch um jemanden Sorgen«, sagte er leise. »Vielleicht...«

»Vielleicht was?«, fragte Mark.

Der Mann schüttelte den Kopf.

»Ich kann dir nicht trauen«, sagte er.

»Ich werde in Kürze umgebracht«, sagte Mark. »Glauben Sie nicht, dass ich alles tun würde, um am Leben zu bleiben?«

Der Wächter gab ein kleines, amüsiertes Schnauben von sich, als habe Mark einen Witz gemacht.

»Das ist nicht das, was ich brauche. Ich brauche jemanden mit Prinzipien und Loyalität, selbst wenn es den Tod bedeutet«, sagte er. »Aber das spielt jetzt auch keine Rolle mehr. Ich brauche vieles, was unmöglich ist: Zugang zu geheimen Unterlagen, gefälschte Dokumente, einen Wagen.«

»Ich habe einen Wagen«, sagte Mark. »Einen Pritschenwagen, genauer gesagt.«

Der Wächter schnaubte wieder. Diesmal klang es ungläubig.

»Du sitzt in einem Käfig«, sagte er.

Trey musste sich anstrengen, um noch etwas zu hören, so sehr rauschte es in seinen Ohren. Er atmete definitiv zu schnell und kämpfte gegen das Gefühl, ohnmächtig zu werden. Er musste nachdenken – genau nachdenken. Doch in seinem Kopf hörte er immer wieder die Worte des Wachmanns: *Du sitzt in einem Käfig ... Du sitzt in einem Käfig ...*

»Aber *ich* nicht«, flüsterte er und stolperte hinter den Kisten hervor.

Erst handeln – dann nachdenken, schien sein neues Motto zu werden. *Ante cogitatum, factum.* Er stand auf wackligen Beinen, doch es gelang ihm, seine Stimme unter Kontrolle zu halten.

»Aber *ich* sitze nicht im Käfig«, sagte er laut und wartete darauf, dass der Lichtstrahl des Wachmanns ihn fand.

23. Kapitel

Sie schlossen einen Handel, Mark, Trey und der Wachmann der Bevölkerungspolizei. Ihre Verhandlungen schienen Stunden zu dauern, weil jeder von ihnen Angst hatte, zu viel preiszugeben.

»Wie kommt es, dass du einen Pritschenwagen hast?«, fragte der Bevölkerungspolizist. »Und wo steht er?«

»Das können wir Ihnen nicht verraten«, erwiderte Mark.

»Um wen machen Sie sich Sorgen?«, fragte Trey.

»Ich will keine Namen nennen«, sagte der Mann. »Es ist besser für euch, wenn ihr sie nicht wisst.«

»Und wie heißen Sie?«, fragte Mark.

»Das spielt keine Rolle«, sagte der Wachmann. Trey beobachtete ihn verstohlen, um sein Gesicht deutlicher zu sehen, doch der Mann hielt den Kopf sorgsam im Schatten und den Lichtstrahl der Taschenlampe von seinen Zügen abgewandt. Auf seiner Uniform befand sich weder ein Namensschild noch ein anderes Erkennungsmerkmal.

Konnten Mark und Trey ihm vertrauen?

Sie hatten keine Wahl.

Trey musste eine wichtige Information preisgeben: Er verriet dem Wachmann, dass man sich in der Villa der Grants von Zimmer zu Zimmer bewegen konnte, indem man durch die Luftschächte kroch. Der Mann nickte mit ernstem Gesicht, als er dies hörte.

»So kann ich an die geheimen Unterlagen gelangen«, murmelte er. »Und die Dokumente suchen, die ich fälschen muss ...«

»Das übernehme ich«, sagte Trey. »Sagen Sie mir, wo ich hinmuss, und ich hole, was Sie wollen. Und dann lassen Sie Mark frei.«

»Nein«, erwiderte der Wachmann. »Das erledigt jemand anderes.«

»Wer denn?«, fragte Trey.

»Spielt keine Rolle«, lautete die Antwort des Wachmanns.

Insgeheim war Trey erleichtert, nicht wieder durch die Schächte kriechen zu müssen. Doch seine Erleichterung verflog auf der Stelle, als ihm klar wurde, welche Aufgabe ihm stattdessen zufiel: Er musste den Pritschenwagen fahren.

»Mein Partner und ich müssen uns beraten«, erklärte Trey, als die drei sämtliche Pläne vervollständigt hatten.

»Schön«, sagte der Wachmann.

Er ging auf die andere Seite des Kellers, hielt jedoch die Taschenlampe weiter auf Mark und Trey gerichtet.

»Mark, das kann ich nicht!«, protestierte Trey so leise wie möglich. »Können wir ihn nicht bitten mich in den Käfig zu sperren und dich fahren zu lassen?«

Mark sah zur anderen Seite hinüber, wo der Mann saß und düster vor sich hinstarrte.

»Er vertraut uns jetzt schon nicht«, meinte Mark. »Weil er glaubt, dass wir ihn hereinlegen wollen oder dass wir nur bluffen. Außerdem ist Autofahren ganz leicht. Du musst nur daran denken, die Kupplung zu treten, wenn du den Gang wechselst. Ach ja, und du wirst die meiste Zeit vorwärts fahren, also musst du aus der Frontscheibe schauen und nicht aus dem Rückfenster ...«

»Ich brauche eine Entscheidung«, meldete sich der Wachmann von der anderen Seite.

»Wir sind einverstanden«, sagte Mark.

Und so kam es, dass Trey zehn Minuten später die Kellertreppe hinaufstieg. Er trug eine frische Polizeiuniform, die ihm der Wachmann gegeben hatte, die mitgebrachten Dokumente hatte er ebenfalls wieder eingesteckt und seine ursprüngliche Kleidung dann in eine der Kisten der Grants gestopft. Doch die neue Uniform war nicht eintönig grau wie die der neuen Rekruten. Sie hatte das unheimliche Schwarz der Gefangenenaufseher.

»Ich bringe dich zur Tür«, sagte der Wachmann und führte Trey durch einen dunklen Korridor. Vor vielen Türen, an denen sie vorüberkamen, standen weitere Wachmänner, die Trey und seinem mysteriösen Begleiter jedoch kaum Beachtung schenkten.

Die Eingangshalle war jetzt leer, das Heer der Rekruten hatte sich wer-weiß-wohin verzogen.

»Es ist vier Uhr morgens«, flüsterte der Wachmann, als sie in der Tür standen. »Wenn du bis sechs nicht zurück bist ...«

Er musste den Satz nicht beenden. Wenn Trey bis sechs Uhr nicht zurückkam, würde Mark sterben.

»So lange brauche ich nicht«, versprach Trey.

Der Wachmann übergab ihm ein Bündel amtlich aussehender Papiere.

»Vollmachten«, sagte er. »Zeig sie am Dienstboteneingang vor, wenn du zurückkommst. Dort hinten.« Er deutete vage in eine Richtung, doch Trey fragte nicht genauer nach. Den Dienstboteneingang zu finden war die geringste seiner Sorgen.

Er trat hinaus in die kalte Nachtluft und der Wachmann schloss die Tür hinter ihm.

Die Treppe hinab, den Weg entlang und über die Auffahrt... Trey bewegte sich wie im Traum, seine Furcht vor der freien Natur wurde von noch größeren Ängsten übertroffen. Am Eingangstor brummte ihm der Wachtposten lediglich etwas zu. Davor warteten immer noch Männer und Jungen, doch sie standen nicht mehr aufrecht, sondern hatten sich vornübergebeugt hingekauert oder lagen einfach auf dem harten Boden. Die vielen regungslosen Leiber in der Dunkelheit erinnerten Trey an Bilder von Schlachtfeldern nach dem Ende einer Schlacht.

»He! Nicht vordrängeln!«, wies ihn jemand zurecht. Und ein paar große Gestalten stellten sich Trey drohend in den Weg. Also schliefen doch nicht alle.

»Ich... ich will nicht drängeln«, stammelte Trey. »Ich... ich gehöre doch schon zur Bevölkerungspolizei. Seht ihr?«

Er hielt sein Uniformabzeichen hoch, obwohl es viel zu dunkel war, um die Kreise und das Tränensymbol zu erkennen.

Jemand packte Treys Ärmel und überzeugte sich mit tastenden Fingern von dem, was mit den Augen nicht zu erkennen war.

»Was er sagt, stimmt«, erklärte eine Stimme und wie durch ein Wunder lichtete sich der Weg vor Trey.

»He, Mann, haben sie dir ordentlich zu essen gegeben?«, klang es kläglich aus dem Dunkeln.

»Ja«, antwortete Trey, auch wenn es natürlich gelogen war. Er hatte nichts mehr gegessen, seit er und Mark vor unzähligen Stunden vom Pritschenwagen fortgegangen waren. Sein Magen fühlte sich an wie zusammengeknautscht und von innen nach außen gestülpt. »Euch werden sie auch was geben, sobald ihr drinnen seid«, fügte er hinzu.

»Wann wird das wohl sein?«, brummte jemand. Doch Trey ging einfach weiter ohne noch einmal aufgehalten zu werden. Bald darauf hatte er die Schlange der verzweifelten Männer hinter sich gelassen.

Er und Mark hatten überlegt, auf welchem Weg er zum Wagen zurückgehen sollte.

»Dem Fluss zu folgen dauert zu lange«, hatte Mark gemeint. »Du kannst bestimmten Straßen durch die Stadt folgen. Das weiß ich noch von der Karte. Ich hatte – einfach zu viel Angst, um gleich diesen Weg zu gehen.«

Ach ja, dachte Trey. *Aber um vier Uhr morgens ist das natürlich weit weniger Angst erregend. Ganz allein und ohne Mark, dem ich folgen kann.*

Zunächst allerdings schienen seine Befürchtungen unbegründet. Die Straße, die vom Anwesen der Grants fortführte, lag völlig verlassen da. Zwar war die Straßenbeleuchtung abgeschaltet, doch Trey konnte im schwachen Mondlicht genug sehen. Die Dunkelheit machte ihm ohnehin nichts aus. Auf diese Weise konnte er sich leichter einbilden ungesehen durch die Finsternis zu schleichen.

Nach ein oder zwei Meilen bog er auf eine Straße ab, die ihn an das Erste erinnerte, was Mrs Talbot ihm über die Unruhen erzählt hatte. In der Straße befanden sich viele Läden, die vermutlich einmal teure Boutiquen gewesen waren. Sämtliche Glasfenster waren eingeschlagen worden. Einige davon waren nun mit Brettern vernagelt, andere standen weit offen und die Regale waren leer geräumt.

Plünderer, dachte Trey schaudernd und beschleunigte seinen Schritt.

Nach fünf Häuserblocks hörte er Schritte näher kommen. Er blieb wie angewurzelt stehen und sah sich nach einem Versteck um, während er gleichzeitig befürchtete Mark nicht rechtzeitig retten zu können, wenn er sich lange verstecken musste. Doch der Schein der Taschenlampe erfasste ihn, ehe er sich auch nur bewegen konnte.

»Identifizieren Sie sich!«, rief eine Stimme.

Zwei Männer kamen auf ihn zu. Trey blieb fast das Herz stehen, als er sah, dass sie die Uniform der Bevölkerungspolizei trugen. Er hatte seine Ausweiskarte nicht bei sich. Sie befand sich, zusammen mit den Ausweisen der anderen neuen Rekruten, immer noch im Haus der Grants.

»Sei nicht blöd, Henrik«, sagte der zweite Mann. »Siehst du nicht, dass er zur BePo gehört? Außerdem ist er uns übergeordnet.«

»Oh, tut mir Leid«, sagte der Erste ergebungsvoll. »Wohin gehen Sie, Sir?«

An ihren Stimmen erkannte Trey, dass die beiden mindestens zehn Jahre älter waren als er selbst. Trotzdem beschloss er es auf einen Versuch ankommen zu lassen.

»Mein Ziel unterliegt der Geheimhaltung«, knurrte er – weil er vermutete, dass seine Stimme dann am ehesten tief klingen würde. Zu seiner Uniform gehörte auch eine Mütze und er sorgte dafür, dass sie tief herabgezogen war und den größten Teil seines Gesichts verbarg, damit die beiden nicht merkten, dass er nicht einmal alt genug war, um sich zu rasieren. »Und was soll dieses ›BePo‹-Gerede? Das ist despektierlich. Sie sind stolze Mitglieder der Bevölkerungspolizei, vergessen Sie das nicht.«

»Jawohl, Sir«, sagte die beiden wie aus einem Mund.

»Wie lautet Ihre Einsatzorder?«, erkundigte sich Trey.

»Wir machen Kontrollgänge«, antwortete der erste Mann. »Zur Überwachung der Ausgangssperre.«

»Dann ab an die Arbeit«, befahl Trey. »Mir war, als hätte ich dort hinten Geräusche gehört!« Er deutete in die entgegengesetzte Richtung.

»Jawohl, Sir!«, sagten die Männer und gingen eilig davon.

Trey musste sich das Kichern verkneifen, während er zusah, wie die beiden abzogen. Er hatte die Bevölkerungspolizei ausgetrickst. Nur weil er eine Uniform trug und nur weil sie dachten, er bekleide einen höheren Rang.

Jetzt weiß ich, wie sich die Soldaten im Trojanischen Pferd gefühlt haben, dachte er. *Wenn ich vor vielen Hundert Jahren gelebt hätte, hätten die Menschen mir zu Ehren auch epische Verse verfasst. Etwas über* »*Das dritte Kind im Gewand seiner Feinde...*«.

Er ging weiter, schlenderte förmlich und grübelte über Reim und Rhythmus. Epische Gedichte klangen auf Französisch immer am schönsten. *Mal sehen.* »*Le troisième enfant dans les vêtements de ses ennemis...*«

Er war so in Gedanken vertieft, dass er das Geflüster erst hörte, als er völlig davon umzingelt war.

24. Kapitel

Er ist allein ...«

»Vielleicht hat er Essen dabei ...«

»Vielleicht ist *sein* Essen nicht vergammelt ...«

»Wer ist da?«, rief Trey plötzlich panisch. »Wer ist da, hab ich gefragt?«

Er blickte sich verzweifelt um, doch er sah nichts als leere Ladenfronten und dunkle, undurchdringliche Schatten. Die zerlumpten Überreste eines Schaufensterkleides bewegten sich in einer lautlosen Brise und ließen Trey erstarren. Aber die Fetzen hingen an einer Schaufensterpuppe, nicht an einem echten Menschen.

»In dieser Gegend patrouillieren jede Menge Bevölkerungspolizisten!«, rief Trey, obwohl er nur die beiden Männer gesehen hatte. »Also, nehmen Sie sich in Acht!«

»Vielleicht hat er Essen ...«

»Essen ...«

»Essen ...«

Das Wort hallte durch die leere Straße. Dann stürzte sich innerhalb von Sekundenbruchteilen eine Horde auf Trey. Zuerst glaubte er, es seien Tiere, keine Menschen – wie groß wurden streunende Katzen eigentlich? Doch dann begannen all die Kreaturen gleichzeitig auf ihn einzuschreien.

»Wo ist es?«

»Gib uns dein Essen!«

»Wartet!«, protestierte Trey. »Ich bin kein –« Aber wollte er ihnen wirklich verraten, dass er gar nicht zur Bevölkerungspolizei gehörte? Er sah das Glitzern in den Augen eines der ausgemergelten Gesichter – einem Frauengesicht, wie er vermutete – und begriff, dass es diese Leute nicht im Mindesten kümmern würde, ob er ein drittes, viertes oder fünfzehntes Kind war. Alles, was sie wollten, war etwas zu essen.

Er änderte die Taktik.

»Hört mir zu!«, versuchte er ihnen zu erklären. »Ich habe kein Essen bei mir. Aber wenn ihr euch registrieren lasst, wird die Bevölkerungspolizei euch und euren Familien zu essen geben. . . .«

Jemand schlug ihn.

»Das Essen der Bevölkerungspolizei ist verdorben!«

»Es ist voller Käfer!«

»Das Zeug kann man nicht mal einem Hund vorsetzen!«

»Und jetzt kriege ich meinen kleinen Johnny drei Jahre lang nicht mehr zu Gesicht!«, klagte die Frau mit den glitzernden Augen.

Trey schwankte immer noch von dem Schlag, den er erhalten hatte.

»Ich will doch nur – ich habe keinen Einfluss auf die Essensverteilung«, sagte er. »Ich habe damit nichts zu tun.«

Die Menge schob sich immer dichter an ihn heran. Die Leute schienen seine Argumente gar nicht zu hören. Sie waren ihnen egal.

Na bravo, dachte Trey. *Da fürchte ich mich jahrelang davor, dass man mich umbringt, weil ich ein drittes Kind bin.*

Stattdessen werde ich umgebracht, weil ich bei der Bevölkerungspolizei bin. Schon komisch, diese Ironie!

»Die Verstärkung ist unterwegs!«, schrie Trey. »Sie bringen Essensnachschub! Gutes Essen! Aber wenn ihr mir etwas tut, bekommt ihr nichts!«

Niemand fiel darauf herein. Die Hände griffen weiter nach ihm. Auch Fäuste. Trey wand sich wie ein Aal und hechtete durch die Menge. Es war wie bei dem Spiel »Kettensprengen« in der Hendricks-Schule – alles tat weh, aber er durchbrach die gegnerische Linie. Er landete zusammengesackt auf dem Boden, rappelte sich sofort wieder hoch und ergriff die Flucht.

»Packt ihn«, schrie jemand.

Trey rannte schneller als je zuvor. Er hörte die schreiende Menge hinter sich. Ein oder zwei Mal griff eine Hand nach seinem Arm, doch er konnte sie jedes Mal abschütteln.

»Hilfe!«, schrie er. »Hilfe!«

Schließlich hatte er nicht mehr genug Luft, um zu schreien. Er rannte immer weiter und weiter, zwang seinen Körper vorwärts, auch dann noch, als er glaubte, seine Lunge müsse explodieren, seine Beine zusammenbrechen und sein Herz sich zu Tode klopfen. Er hatte viel zu viel Angst, um sich umzudrehen und nachzusehen, ob der Mob näher kam. Er stürzte durch ein Gebüsch und das erinnerte ihn so sehr an die Sprints von der Hendricks-Schule in den Wald, dass er einfach immer weiterlief. Dann landete er im Wasser.

Er konnte nicht schwimmen.

»Ulgh. Hil–«, keuchte er, zu atemlos, um nach Hilfe zu rufen. Er kämpfte sich zurück ans Ufer und klammerte sich an einen Stein, denn er war zu erschöpft, um sich gleich aus dem Wasser zu ziehen. Fast rechnete er damit, wieder hineingestoßen zu werden, damit er ertrank, statt dass man ihn totschlug.

Es dauerte ein paar Minuten, ehe er begriff, dass der Mob weit fort war. Er hörte die Rufe in der Ferne: »Wo ist er? Wo ist er hin?«

Ich bin ihnen davongerannt, dachte er erstaunt. Und das verdankte er nur Lee, der ihm in der Hendricks-Schule beigebracht hatte richtig zu rennen.

Jemandem davonzurennen, der kurz davor ist zu verhungern, ist nun wirklich kein Kunststück, machte er sich klar.

Mit zitternden Beinen stieg er aus dem Wasser. Er hatte sich verirrt. Aber – das hier war der Fluss, oder etwa nicht? Vielleicht konnte er einfach am Ufer entlanglaufen? Doch in welche Richtung?

Er sah nach links und rechts, flussauf- und flussabwärts, und entdeckte in der Ferne eine schwach beleuchtete Brücke. War das die Brücke, bei der er und Mark den Pritschenwagen versteckt hatten? Oder war er an der richtigen Brücke und damit auch am Wagen schon vorbeigelaufen? Was würde geschehen, wenn er zu lange brauchte, um ihn zu finden?

Er machte sich auf den Weg zur Brücke, hastete durch Unkraut und Gestrüpp. Ein Zweig schlug ihm ins Gesicht und Dornensträucher zerrten an seiner Uniform, doch er lief einfach weiter. Ohne Mark, der ihm den Weg bahnte, war es viel schwieriger, dem Fluss zu folgen.

Trey war so sehr darauf konzentriert, vorwärts zu kommen und die Zweige zur Seite zu schieben, dass er um ein Haar gegen die Betonwand der Brücke geprallt wäre.

»Uff«, stöhnte er.

Er hob den Kopf. Die Brücke wurde auf beiden Seiten von einer Art Straßenlaterne erleuchtet, die ihr schwaches Licht in die vom Fluss aufsteigenden Nebelschwaden warfen. Trey hörte Schritte, doch es war nur ein Wachmann, der von einer Seite der Brücke zur anderen patrouillierte. Trey sah das Abzeichen auf dem Ärmel des Mannes und beruhigte sich.

Wie kann es mich erleichtern, einen Bevölkerungspolizisten zu sehen?, fragte er sich.

Er wollte einfach nicht noch einer hungrigen Menschenmeute begegnen.

Trey entfernte sich von der Brücke, tastete im Gehölz blindlings in alle Himmelsrichtungen und hoffte inständig irgendwo eine Radkappe oder Stoßstange zu berühren. Doch nirgendwo war ein Pritschenwagen versteckt.

»O nein«, stöhnte Trey. Die Muskeln in seinen Beinen begannen zu zittern, als Erschöpfung und Panik ihn einholten. Wenn er den Wagen nicht bald fand, war alle Hoffnung, Mark zu retten, verloren. Warum hatte er sich nur auf einen so aberwitzigen Plan eingelassen? Wie sollte er den Pritschenwagen jetzt noch finden?

Er sah noch einmal den Fluss hinauf und hinab und suchte nach einer weiteren Brücke. Warum hatte er nicht besser aufgepasst, als Mark und er den Wagen versteckt hatten? Warum hatte er sich nicht jedes Detail der Umgebung genau eingeprägt? Warum wurde es nicht endlich Tag, damit er besser sehen konnte?

Nein, er wollte nicht, dass es Tag wurde, denn wenn der Morgen anbrach, würde Mark sterben.

Verzweifelt blickte Trey sich noch einmal um. Diesmal sah er auf der anderen Flussseite etwas aufglänzen, während er den Kopf wandte – Metall oder Glas vielleicht, in dem sich der schwache Schein der Brückenlaterne spiegelte.

Trey spähte angestrengt hinüber. Vielleicht, vielleicht...

War dies vielleicht doch die richtige Brücke, nur dass der Wagen sich auf der anderen Seite befand?

Trey kniff die Augen zusammen und versuchte hinter dem Glänzen einen kompletten Pritschenwagen auszumachen, der unter Blättern und Zweigen verborgen war.

Habe ich ohne es zu merken eine Brücke über den Fluss überquert? Wäre das möglich gewesen?

Natürlich wäre es das – als er vor dem Mob geflohen war, oder noch vorher, als er versucht hatte immer im Schatten zu bleiben. Er erinnerte sich daran, womit Mark ihn geärgert hatte: »Ich glaube, wenn ich noch nie im Freien gewesen wäre, würde ich die Augen aber aufmachen, wenn es endlich so weit ist.« Treys Unaufmerksamkeit hatte Mark fast das Leben gekostet. Und das konnte sie auch jetzt noch.

Zögernd ging Trey einige Schritte ins Wasser, doch es war kalt und die Strömung zerrte an ihm. Das Flussbett fiel so steil ab, dass Trey wusste: Noch ein paar Schritte vorwärts und das Wasser ging ihm bis über den Kopf.

Warum hat Lee keinen Schwimmunterricht in den Trainingsplan aufgenommen, den er uns in der Hendricks-Schule verordnet hat?, fragte er sich voller Bedauern.

Doch das hatte Lee nun einmal nicht getan und Trey blieb keine Zeit, weitere Gedanken daran zu verschwenden.

Er würde die Brücke überqueren müssen.

25. Kapitel

Halt! Wer da?«

Kaum hatte Trey begonnen zur Brücke hinaufzuklettern, als der Wachtposten ihn auch schon anrief. Trey hatte ihn fast vergessen. Die Laternen hatten ihm mehr Sorgen gemacht.

»Niemand darf die Brücke überqueren«, rief der Wachtposten. »Kehren Sie um oder ich schieße.«

»Immer mit der Ruhe«, sagte Trey und dachte daran, wie gut seine vorherigen Täuschungsmanöver funktioniert hatten. »Ich bin Angehöriger der Bevölkerungspolizei und komme, um, äh, das Fahrzeug einer Schmugglerbande zu requirieren, das auf der anderen Seite abgestellt wurde.« Er zeigte zum anderen Ufer hinüber und hob dann sicherheitshalber die Schulter, um auf sein Ärmelabzeichen zu verweisen. Erst jetzt, wo er im Licht stand, bemerkte er, dass das Abzeichen nur noch an zwei Fäden von seinem zerrissenen Hemd baumelte. Auch seine Hose hatte Löcher und vom Bauch abwärts prangten überall Dreckflecken.

Der Wachtposten musterte ihn misstrauisch.

»Ich wurde von einer marodierenden Horde angegriffen«, erklärte Trey. »Sie glaubten, ich hätte Essen bei mir.«

»Kein Mob würde es wagen, Hand an ein Mitglied der Bevölkerungspolizei zu legen«, schnaubte der Wachtposten.

»Dieser hier schon«, murmelte Trey.

»Wo ist Ihr Passierschein?«, fragte der Wachtposten.

»Ich habe Vollmachten«, sagte Trey und griff in seine Brusttasche. Allerdings bezogen sich seine Vollmachten nur auf den Transport von Gefangenen. Der Mann im Hauptquartier hatte nicht ahnen können, dass Trey auch für die Überquerung dieser Brücke eine Vollmacht brauchen würde.

Der Wachtposten griff nach den Papieren. Jetzt würde er jeden Moment feststellen, dass Trey ein Schwindler war.

»Sehen Sie? Und jetzt gehen Sie mir aus dem Weg. Ich hab es eilig«, sagte Trey, griff nach den Papieren und stopfte sie zurück in die Tasche.

»Moment! Ich konnte nicht –«

Trey gab Gas und stürmte an dem Wachtposten vorbei.

»Halt! Ich muss die Vollmacht noch unterschreiben«, schrie der Mann ihm hinterher.

Trey erreichte das Ende der Brücke und sprang mit einem Riesensatz über das Geländer, sobald er auf der anderen Seite festen Boden erblickte. Nur dass der Grund gar nicht so fest war – Trey fiel und schlitterte über die Böschung, krachte durch Zweige und Blätter.

Er kam erst zum Stillstand, als er gegen einen Autoreifen prallte.

Er konnte sich gerade noch davon abhalten, den Reifen vor Erleichterung zu umarmen und einfach eine Weile ruhig dazuliegen. Stattdessen kam er sofort wieder auf die Füße, riss die Fahrertür auf, kletterte hinein und steckte den Schlüssel ins Zündschloss. Er hatte vorgehabt sich einige Minuten Zeit zu nehmen, um sich alle Anzeigen auf dem Armaturenbrett genau anzusehen und vielleicht die Bedienungsanleitung zu studieren, die im Handschuhfach lag.

Doch dafür blieb jetzt keine Zeit. Er drehte den Schüssel um.

Nichts geschah.

Ups. Welches war noch mal das Pedal, das ich durchtreten muss – die Kupplung?

Er drehte den Schlüssel noch einmal, dieses Mal mit den Füßen auf den Pedalen. Der Motor sprang an, ging aber sofort wieder aus, als Trey zum Schaltknüppel griff.

Hinter ihm beugte sich der Wachtposten über das Brückengeländer und schrie ihm etwas zu.

»Sir! Ich bestehe darauf –«

Trey beachtete ihn nicht und konzentrierte sich nur darauf, Füße und Gangschaltung in Einklang zu bringen. Der Wagen machte einen Satz nach vorn, in Richtung Fluss.

Nein! Nein! Rückwärts!, schrie es in seinem Kopf und unter fürchterlichem Knirschen wechselte er den Gang. Wieder begann der Motor zu stocken und in seiner Panik trat Trey das Gaspedal voll durch. Im Rückwärtsgang schoss der Wagen den Hang hinauf und auf die Straße zu. Zweige schlugen seitlich gegen den Pick-up und die Reifen zermalmten junge Bäumchen, doch das war Trey egal, solange keines dieser Hindernisse ihn aufhielt.

Oben auf dem Niveau der Brücke erstarb der Motor wieder, sobald Trey versuchte den Vorwärtsgang einzulegen.

»Sir! Sie zwingen mich zu der Annahme, dass Sie keineswegs auf einer rechtmäßigen Mission der Bevölkerungspolizei sind!«, schrie ihm der Wachtposten zu. »Steigen Sie aus dem Wagen aus oder –«

Trey ließ den Motor wieder an, brauste am Wachtposten

vorbei und fuhr im ersten Gang so schnell er konnte davon. Der Motor gab schreckliche Geräusche von sich, doch Trey konnte es nicht riskieren, höher zu schalten.

»Ich habe Sie gewarnt«, schrie der Wachtposten.

Trey hörte einen Schuss, doch er wurde nicht getroffen und der Pritschenwagen auch nicht, soweit er das beurteilen konnte. Er bog um die Ecke, schoss in eine andere Straße, so dass nun eine Häuserreihe zwischen ihm und dem Wachtposten lag.

Wenn er nun per Funk Verstärkung anfordert?, fragte sich Trey. *Wenn jetzt die gesamte Bevölkerungspolizei im Land nach mir zu suchen beginnt?*

Er bog in eine dunkle Gasse ein und stellte den Motor ab. Die Ungewissheit bereitete ihm Höllenqualen. Im Schatten verborgen schlich er leise zurück zur Brücke.

Der Wachtposten stand immer noch auf der Brücke, doch er brüllte in kein Funkgerät. Stattdessen zog er unerklärlicherweise das Hemd aus. Verblüfft sah Trey mit an, wie er das Hemd auf den Boden legte, sich ein paar Schritte entfernte und sein Gewehr darauf abfeuerte. Dann legte er die Waffe beiseite und hielt das Hemd in die Luft. Licht fiel von beiden Seiten durch die Einschusslöcher. Lachend warf der Wachmann das Hemd über die Brüstung und winkte in die Dunkelheit auf der anderen Seite der Brücke. Mehrere dunkle Gestalten erschienen aus der Finsternis – Männer in dunklen Hemden und Hosen, die allesamt riesige Taschen auf dem Rücken trugen. Es waren Säcke aus Sackleinen oder etwas Ähnlichem, die für den Transport von Lebensmitteln bestimmt waren.

Lebensmittel? Waren das vielleicht Schmuggler?

Der hemdlose Wachtposten klemmte sich das Gewehr hinter den Gürtel und schnappte sich selbst einen Sack. Dann marschierten die Männer in die entgegengesetzte Richtung davon und verschwanden in der Dunkelheit.

War dieser Wachmann gerade von der Bevölkerungspolizei desertiert?, fragte sich Trey. *Oder hatte er von Anfang an nur Theater gespielt?*

So oder so schien er nicht mehr darauf aus zu sein, Trey zu verfolgen, nachdem dieser außer Sichtweite war. Einigermaßen erleichtert schlich Trey zum Wagen zurück, ließ ihn an und machte sich vorsichtig auf den Rückweg zum Hauptquartier.

Wer konnte schon wissen, was ihn dort erwarten würde, nach allem, was er auf den Straßen erlebt hatte.

26. Kapitel

Die Rückfahrt zum ehemaligen Haus der Grants nahm nur einen Bruchteil der Zeit in Anspruch, die das Auffinden des Wagens gebraucht hatte. Doch Trey war den ganzen Weg über in Sorge; er sorgte sich um den Lärm des Motors; er war besorgt, dass ein weiterer Mob auf ihn losgehen könnte, und er sorgte sich jedes Mal, wenn ihm beim Schalten der Motor abstarb und er ihn neu anlassen musste. Ihm war klar, dass er in dieser Situation ein leichtes Ziel abgab, eine perfekte Schießscheibe für jeden, der zufällig vorbeikam. Doch es kam niemand.

Vielleicht hat der Motorenlärm sie verscheucht?, versuchte er sich einzureden. *Vielleicht ist es gut, dass ich einen solchen Radau veranstalte?*

Der Mob, die Schmuggler und der so leicht zu überlistende Wachmann der Bevölkerungspolizei schienen einfach nicht in die streng reglementierte Welt zu passen, von der ihm seine Eltern immer erzählt hatten.

Hat sich denn alles verändert?, fragte sich Trey. *Oder sind die Veränderungen noch im Gange?*

Er spähte in die vom Scheinwerferlicht erhellte Umgebung, als könne sich selbst die Luft jeden Moment verändern.

He, Dad?, dachte er. *Du hättest mich unmöglich auf all das vorbereiten können. Ich weiß jetzt, dass du dein Möglichstes getan hast.*

Der Himmel war zum Glück noch dunkel, als Trey vor dem Hauptquartier vorfuhr. Gähnend und ohne ihn groß anzusehen überprüfte der Wachtposten am Tor Treys Papiere.

»Erlaubnis zur Weiterfahrt erteilt«, murmelte er.

Trey lenkte den Wagen zur Rückseite des Gebäudes und hoffte, dass er ihn nicht direkt vor dem Hauptquartier noch einmal abwürgen würde. Natürlich ging ihm der Pick-up wenige Meter vor dem Bediensteteneingang aus, so dass Trey einfach tat, als habe er absichtlich dort geparkt. Der Wachmann, mit dem Mark und Trey die Abmachung getroffen hatten, kam sofort herbeigeeilt.

»Großartig!«, sagte er. »Hilf mir den Käfig zu holen.«

Trey folgte ihm durch die Tür und durch einen dunklen Gang zur Kellertreppe.

»Warum schließen Sie nicht einfach den Käfig auf und lassen Mark laufen?«, fragte Trey.

Der Wachmann schüttelte den Kopf.

»Das geht nicht«, sagte er. »Zuerst bringst du mir meinen Freund, dann gebe ich dir den Schlüssel für den Käfig deines Freundes.«

»Sie vertrauen wohl niemandem?«, frotzelte Trey, obwohl er sich mit diesem Teil des Handels bereits einverstanden erklärt hatte.

Sie kamen zu einem anderen Wachtposten, der an einem Tisch vor der Kellertreppe saß, und der erste Wachmann warf Trey einen warnenden Blick zu.

»He, Stan«, sagte Treys Begleiter zu dem Mann am Tisch. »Der Kollege hier ist gerade mit der Vollmacht aufgetaucht, den Gefangenen nach Nezeree zu verlegen.«

»Nanu?«, sagte der andere Wachmann – Stan? »Ich dachte, er wird bei Tagesanbruch hingerichtet?« Es hatte nicht den Anschein, als kümmere ihn diese Tatsache. Marks Leben schien für ihn nicht mehr zu bedeuten als das einer Mücke oder eines Flohs.

»Vielleicht wird er dort exekutiert?«, meinte der erste Wachmann achselzuckend, als kümmere es ihn genauso wenig.

Stan inspizierte die Vollmachten genau.

»Sollen wir Commander Bresin anrufen und zur Sicherheit noch mal nachfragen?«, schlug er vor.

Der erste Wachmann hob die Schultern.

»Kannst du machen. Ich habe keine Lust, ihn zu wecken und mir dafür Ärger einzuhandeln.«

Stan schien darüber nachzudenken. Er sah noch einmal die Papiere durch. Trey hoffte inständig, dass sämtliche gefälschten Unterschriften echt aussahen. Dann nahm Stan ihn in Augenschein.

»Und in Nezeree dürft ihr so schlampig rumlaufen?«, fragte er.

Schlagartig wurde sich Trey seiner verdreckten, zerrissenen Uniform bewusst und seiner schmutzverkrusteten Schuhe. Wann hatte er eigentlich seine Mütze verloren?

»Sie haben es draußen in Nezeree mit einer üblen Bande zu tun. Er hat versucht einen Gefangenen zu überwältigen und ...« Der erste Wachmann zuckte die Achseln, als wäre der Rest der Geschichte sonnenklar.

»Erinnere mich daran, dass ich mich nie dorthin versetzen lasse«, meinte Stan. Er gab Trey zwei Formulare zurück und legte die anderen vor sich auf den Tisch. »Wenn in den Papieren steht, dass der Gefangene nicht hingerichtet, sondern verlegt wird, dann wird er eben verlegt. Braucht ihr Hilfe beim Verladen?«

»Danke, das schaffen wir schon«, meinte der erste Wachmann freundlich.

Trey folgte ihm die Treppe hinab. Diesmal knipste der Wachmann das Licht an. Mark erschrak, doch als er Trey sah, begann er zu grinsen.

»Tu so, als würdest du immer noch glauben, dass du gleich sterben musst«, flüsterte der Wachmann.

Mark nickte und begann dann im Käfig um sich zu schlagen.

»Nein, nein«, schrie er.

»Leise«, befahl ihm der Wachmann.

Mark verlegte sich darauf, ein verzweifeltes Gesicht zu machen und vergeblich an den Gitterstäben zu rütteln.

»Viel besser«, sagte der Wachmann. Er packte den Käfig auf der einen Seite und Trey auf der anderen. Es war anstrengend, aber gemeinsam gelang es ihnen, den Kasten die Treppe hinaufzubugsieren. Der andere Wächter, Stan, machte Platz, um sie vorbeizulassen.

»Du unterzeichnest mir dafür die Papiere«, sagte er zu dem ersten Wachmann. »Ich will nicht, dass mich jemand für irgendetwas verantwortlich macht.«

»Kein Problem«, erwiderte der. »Außerdem gibt es keinen Grund, jemanden für irgendetwas verantwortlich zu machen. Die Papiere sind alle da.«

Er und Trey trugen Mark zum Pritschenwagen hinaus. Mit

großer Mühe schafften sie es, den Käfig auf die Ladefläche zu hieven. Erst viel zu spät fiel Trey ein, dass er Schwäche hätte vortäuschen können, um den Wachmann zu zwingen Mark herauszulassen. Doch vermutlich hätte der sich nicht darauf eingelassen, sondern eher Stan um Hilfe gebeten.

Dann übergab der Wachmann Trey einige weitere Dokumente.

»Diese hier autorisieren dich meinen Freund mitzunehmen. Sobald der Lagerkommandant von Nezeree sie unterzeichnet hat, bist du berechtigt auch deine anderen Freunde abzuholen. Sie befinden sich im Lager Slahood. Allerdings sind die Papiere so ausgestellt, dass du sie erst mitnehmen kannst, wenn du zuvor meinen Freund geholt hast. Solltest du irgendwie versuchen mich hereinzulegen, werde ich davon erfahren. Dann landet ihr beiden ganz oben auf der Gesuchtenliste. Und jeder Bevölkerungspolizist im Land ist angewiesen euch auf der Stelle zu erschießen.«

»Verstehe«, sagte Trey und versuchte nicht weiter darüber nachzudenken.

Der Wachmann sah auf die Uhr.

»Es ist jetzt fünf Uhr dreiunddreißig. Die Order zur Verlegung deiner Freunde wird um zehn Uhr ungültig. So, wie wir es vereinbart haben.«

Trey hätte gern noch eine oder zwei Stunden mehr herausgeschlagen. Was war, wenn die Gefangenenübergabe in Nezeree zu langsam vonstatten ging? Wenn er nicht schnell genug vorankam?

»Eins noch«, sagte der Wachmann. »Damit es auch wirklich echt wirkt, habe ich auf den Papieren vermerkt, dass alle

Gefangenen, die du transportierst, nach Churko verlegt werden – in das schlimmste Gefängnis von allen. Also – sorge dafür, dass dir niemand diesen Job abnimmt.« Er gab ein freudloses Lachen von sich.

»Okay«, sagte Trey und schwang sich auf den Fahrersitz. Ihm zitterten die Knie, doch irgendwie schaffte er es, den Wagen anzulassen und den Rückwärtsgang einzulegen.

»Viel Glück«, sagte der Wachmann. Er legte den Kopf in den Nacken, um zum Wagen hinaufzusehen, und die Mütze rutschte ihm ein wenig nach hinten. Zum ersten Mal konnte Trey im Licht einer Außenlampe das Gesicht des Mannes richtig sehen. Er hatte freundliche Augen, die ihm irgendwie bekannt vorkamen. Und er war älter, als Trey angenommen hatte. Kurze graue Haare lugten unter der Mütze hervor.

»*Liber*«, flüsterte Trey.

Er hatte geglaubt so leise zu sprechen, dass das Dröhnen des Motors ihn übertönen würde. Doch der Wachmann antwortete ihm.

»Frei«, flüsterte er zurück. »Möge Gott uns alle befreien.«

27. Kapitel

Trey hatte das Tor des Hauptquartiers kaum hinter sich gelassen, als Mark auch schon gegen die Scheibe klopfte. Trey wandte den Kopf und kam dabei prompt mit dem Wagen von der Straße ab. Gerade noch rechtzeitig trat er auf die Bremse und verhinderte, dass sie im Straßengraben landeten. Und natürlich würgte er den Motor ab.

Mit zitternden Fingern öffnete Trey das Rückfenster, um mit Mark zu sprechen.

»Meine Güte! Bei wem hast du denn Autofahren gelernt?«, witzelte Mark.

»Bei dir«, antwortete Trey.

»Da war ich ja mit der Aussicht auf die Hinrichtung besser aufgehoben«, stöhnte Mark.

»Ich tue mein Bestes«, murmelte Trey mit zusammengebissenen Zähnen. Sein Herz klopfte immer noch wie wild. Wenn sie nun im Graben gelandet wären, dort festgesteckt und die Frist zur Rettung von Lee und den anderen verpasst hätten?

»Okay«, sagte Mark. »Also, wir machen Folgendes. Unter dem Sitz steht ein Werkzeugkasten. Du suchst die Drahtschere, holst mich hier raus und dann fahren wir schnurstracks los und holen Luke.«

Trey sah sich hastig um, als habe er Angst, dass jemand sie hören könnte. Sie befanden sich in einer verlassenen Gegend, aber er hatte inzwischen gelernt, dass verlassen wirkende Gegenden mitunter die größte Gefahr bargen.

»Du machst wohl Witze«, flüsterte er Mark zu. »Hast du nicht gehört, was der Wachmann gesagt hat? Wenn wir ihn reinlegen – wenn wir nicht zuerst seinen Freund holen –, können wir unsere Freunde auch nicht holen und jeder Bevölkerungspolizist darf uns auf der Stelle erschießen.«

»Und wenn er nur geblufft hat? Wenn das alles nur eine Falle ist, die uns beide das Leben kostet – und das der anderen auch?«, wandte Mark ein.

Diese Möglichkeit hatte Trey noch nicht bedacht. Er hatte sich zu sehr auf die Aufgabe konzentriert, zur richtigen Zeit an den richtigen Ort zu gelangen.

»Wenn der Freund dieses Wachmanns nun gefährlich ist?«, fuhr Mark fort.

»Ich weiß es nicht«, jammerte Trey. Die Beleuchtung der Anzeigen am Armaturenbrett flackerte. »Hat das etwas Schlechtes zu bedeuten?«, fragte er Mark.

»Ja, die Batterie verliert zu viel Saft. Gib mir einfach den Werkzeugkasten, lass den Motor wieder an und fahr weiter. Wenn ich erst mal hier raus bin, fahre ich weiter. Dann kannst du dir die Papiere vornehmen und nachsehen, ob du eine Falle entdeckst.«

Trey tastete in der Dunkelheit unter dem Sitz herum, bis er eine große Metallkiste fand. Er kletterte aus dem Fahrerhaus, um die Kiste neben den Käfig auf die Ladepritsche zu schieben, so dass Mark an sie heranreichen konnte. Mark gab ihm dafür etwas zurück. Verwundert starrte Trey auf seine Hand.

»Das ist ein Apfel«, sagte Mark. »Nahrung. Weißt du

noch, was das ist? Der Wachmann hat mir den Proviantsack zurückgegeben. Du musst doch mindestens so großen Kohldampf haben wie ich. «

»Danke«, sagte Trey.

Er rutschte wieder auf den Fahrersitz und biss in den Apfel. Er schien das Köstlichste zu sein, was Trey je im Leben gegessen hatte.

Wie gut, dass mich jetzt kein Mob verfolgen kann, dachte er, als er den Wagen anließ und ihn vorsichtig auf die Straße zurücklenkte.

Es war ihm unbegreiflich, wie die Bevölkerungspolizei den Menschen Nahrungsmittel versprechen konnte, um sie ihnen dann doch vorzuenthalten. Oder lediglich verdorbenes Essen auszuteilen.

Aldous Krakenaur regiert wirklich nicht besonders gut, überlegte er und musste über die Absurdität des Ganzen fast lachen. Natürlich regierte Aldous Krakenaur nicht besonders gut. Er war viel zu sehr damit beschäftigt, Leute umzubringen.

Und wenn der Wachmann nun die gleiche Absicht verfolgte?

Fahr einfach, befahl sich Trey. *Denk nicht darüber nach.*

Die Straße, auf der sie sowohl zum Gefängnis von Nezeree als auch zum Internierungslager Slahood gelangen würden, führte schon nach wenigen Meilen aus der Stadt hinaus, was Trey ungeheuer erleichterte. Die ländliche Gegend erschien ihm erheblich ungefährlicher.

Trey ließ das Rückfenster des Pritschenwagens offen und hörte Mark hinter sich murmeln.

»… Drahtschere schaffe ich es nicht, vielleicht geht's mit der Kneifzange –«

»Kannst du dich nicht ein bisschen beeilen?«, rief Trey nach hinten.

»Ich tue mein Bestes«, rief Mark zurück. »Genau wie du. Aber es wäre gut, wenn du nicht so schaukeln würdest!«

Trey versuchte, so gut es ging, geradeaus zu fahren. Doch dann machte die Straße einen Linksknick und er konnte den Wagen gerade noch rechtzeitig um die Kurve lenken.

»He!«, schrie Mark. »Pass doch auf!«

»Tut mir Leid«, antwortete Trey.

Danach verlangsamte er die Fahrt vor jeder Kurve, was ihm Sorgen bereitete. Er hatte keine Uhr, doch konnte er spüren, wie die Minuten verrannen. Direkt vor ihm – im Osten, wie er annahm – begann der Himmel heller zu werden.

Es war fünf Uhr dreiunddreißig, als wir aufgebrochen sind. Jetzt ist es sechs oder halb sieben? Mark sitzt immer noch im Käfig und ich habe Angst, schneller zu fahren… Und wenn wir nun nicht rechtzeitig ankommen?

Die Straße wurde immer kurviger. Mark schien es aufgegeben zu haben, das Käfigschloss zu knacken, und konzentrierte sich nur noch darauf, Trey um die Biegungen zu helfen.

»Du musst die Kupplung nach dem Schalten sanft und langsam kommen lassen«, sagte er, während Trey um eine ganz besonders enge Haarnadelkurve bog.

Trey war derart mit seinen zitternden Beinen beschäftigt, dass er gar nicht mitbekam, was auf der anderen Seite gegen den Wagen schlug. Dann hörte er Geschrei und plötzlich brüllte Mark hinter ihm: »Gib Gas! Wir werden angegriffen!«

Vor Schreck rutschte Trey der Fuß endgültig von der Kupplung und der Motor ging aus. Während er zum Schlüssel griff, um ihn wieder anzulassen, sah er hastig nach rechts. Dunkle Schatten umschwärmten den Wagen und begannen an ihm zu rütteln.

»Essen! Essen! Wir wollen Essen!«, rief die Menge und schaukelte den Pritschenwagen hin und her.

»Lasst uns in Ruhe!«, schrie Mark.

Und im nächsten Augenblick spürte Trey, wie der Wagen umkippte.

28. Kapitel

Der Wagen landete mit solcher Wucht auf der Seite, dass die Windschutzscheibe barst. Völlig geschockt lag Trey einige Sekunden lang regungslos da, dann löste er den Sicherheitsgurt und kroch durch das Loch, das sich vor ihm auftat.

Mark hatte keinen Sicherheitsgurt gehabt. Sein Käfig war nicht einmal befestigt gewesen.

Der Mob war zur Vorderseite des Pritschenwagens ausgeschwärmt, doch niemand schien Treys Flucht zu bemerken.

»Ein Apfelgriebs!«, schrie jemand. Treys Apfelrest musste aus dem Wagen in den Dreck neben der Straße gefallen sein. Die Menschen drängten sich zusammen und schienen sich um das wenige an den Kernen verbliebene Fruchtfleisch zu prügeln.

Trey schlich um den Wagen herum nach hinten und fiel in der Dunkelheit praktisch über Marks umgestürzten Käfig. Er langte durch die Gitterstäbe, um nach Mark zu tasten, auch wenn er schreckliche Angst davor hatte, nur noch einen toten Körper zu finden.

»Hier drüben«, rief eine Stimme hinter ihm.

Trey huschte zu einem riesigen Steinbrocken neben der Straße. Dahinter kauerte Mark.

»Wie –?« Trey brachte die Worte kaum heraus. »Was ist passiert? Warum bist du nicht mehr im Käfig?«

»Hat ihn gefetzt, als er vom Wagen fiel«, flüsterte Mark.

»Wirklich? Ist ja toll!«, sagte Trey und störte sich nicht einmal an Marks salopper Ausdrucksweise. Es erschien ihm wie ein wahres Wunder, dass der Mob ihnen tatsächlich geholfen haben sollte.

»Ja«, meinte Mark. »Aber mein Bein hat es auch gefetzt.«

Trey tastete mit der Hand und fühlte klebriges Blut.

»Nicht«, sagte Mark. »Ich glaube, der Knochen steht ein Stück heraus. Besser, du fasst ihn nicht an.«

»Menschen mit offenen Brüchen dürfen nicht bewegt werden«, erinnerte sich Trey aus einer Zeit, als sein Vater ihm aufgetragen hatte alle möglichen Erste-Hilfe-Kenntnisse auswendig zu lernen.

»Was sollte ich denn machen – liegen bleiben und mich von den Leuten tottrampeln lassen?«, zischte Mark. Er stöhnte auf und Trey begriff erst jetzt, dass er große Schmerzen leiden musste.

»Wir sollten das Bein verbinden, bis wir dich zu einem Arzt bringen können«, schlug er vor.

»Hm-hm«, sagte Mark und verzog das Gesicht. Trey half ihm das Flanellhemd auszuziehen und wickelte es um Marks Bein. Es war verrückt – wie sollten sie ihn je zu einem Arzt schaffen?

»Du musst allein weiter«, sagte Mark mit zusammengebissenen Zähnen. »Hol Luke, bevor es zu spät ist.«

»Aber –«, wollte Trey einwenden.

»Von hier aus musst du laufen«, sagte Mark. »Ich glaube, es ist nicht mehr weit.«

Trey spähte zu der Menschenmenge hinüber, die sich immer noch um den Wagen drängte. Inzwischen hatten sie den

Proviantsack entdeckt und kämpften darum wie eine Horde wilder Tiere. Wie lange würde es dauern, bis man nach Mark und Trey zu suchen begann?

Trey sah wieder auf seinen verwundeten Freund. Die Entscheidung, die er jetzt treffen musste, hatte mit Mut oder Feigheit nichts mehr zu tun. Egal, ob er blieb, um sich um Mark zu kümmern, oder losging, um Lee und die anderen zu retten – und den geheimnisvollen Gefangenen des Wachmanns –, er musste in jedem Fall ungeheuer tapfer sein. Wie sollte er sich entscheiden?

»Geh«, stöhnte Mark.

»Nein«, sagte Trey. Sein Blick wanderte zwischen Mark und dem Mob hin und her. »Warte einen Moment.«

Er zog sein Uniformhemd aus und ließ es neben Mark fallen. Dann trat er hinter dem Felsbrocken hervor und mischte sich unter die Menge.

»Gebt mir auch was! Gebt mir auch was!«, schrie er, genau wie die anderen. Er schob und drängte und griff nach dem Rucksack.

Ein Junge neben ihm – der ebenfalls kein Hemd trug – musterte Trey, sagte jedoch nichts, sondern schob ihn mit den Ellenbogen aus dem Weg.

»He, wartet! Es liegt unterm Wagen!«, schrie Trey.

Er lief zum Pick-up und stemmte sich vergeblich gegen das Fahrerhaus.

»Das Essen ist unter den Wagen gerollt!«, schrie er weiter.

Einige Leute lösten sich aus dem Pulk, kamen zu ihm herüber und begannen ebenfalls gegen den Wagen zu drücken, um ihn wieder auf die Räder zu stellen.

»Apfelsinen! Bananen! Alles liegt untendrunter!«, brüllte Trey und begann gleichzeitig zu fürchten, jemand könnte ihn fragen, wie eine Banane rollen konnte – oder wie überhaupt etwas unter einen Wagen kullern konnte, der flach auf der Seite lag. Doch außer angestrengtem Stöhnen äußerte niemand etwas. Die Leute waren zu hungrig, um logisch zu denken. Immer mehr Menschen stießen zu ihnen und stemmten sich gegen den Pick-up. Mit einem mächtigen Stoß richteten sie das Fahrzeug wieder auf.

Jubel ertönte und alle fielen auf die Knie, um nach den versprochenen Apfelsinen und Bananen zu suchen. Alle – außer Trey. Er trat vorsichtig den Rückzug an und begann die Straße entlangzurennen, bis zu einer der Kurven, um die er kurz vor dem Angriff gekommen war.

»Achtung, ein Lastwagen!«, brüllte er, als er sicher war, dass ihn niemand mehr sehen konnte. »Es ist ein – ooh, sieht aus wie ein Wagen voller Brot. Randvoll mit Brot! Kommt, wir halten ihn auf! Kommt und esst!«

Einen Moment lang fürchtete Trey sein Trick würde nicht funktionieren. Auch wenn die Sonne gerade aufging, war es immer noch zu dunkel, um wirklich erkennen zu können, was ein Lastwagen geladen hatte. Doch dann hörte er Schritte hinter sich. Er wirbelte herum und versteckte sich hinter Steinen und Bäumen, während der Mob an ihm vorbeistürzte. Dann sprintete er zurück zu Mark.

»Was ist?«, murmelte Mark. »Was machst du da?«

Trey schnappte sein Uniformhemd und zog es sich wieder über den Kopf, dann packte er Mark unter den Achseln und zog ihn zum wieder aufgerichteten Pritschenwagen.

»Aaaaaah«, stöhnte Mark; es war der qualvollste Laut, den Trey je gehört hatte. Dann wurde Marks Körper schlaff. War er vor Schmerzen ohnmächtig geworden? Trey nahm sich nicht die Zeit, das nachzuprüfen. Er riss die Fahrertür auf, schob Mark in den Wagen und rutschte neben ihn.

Der Schlüssel steckte noch im Zündschloss. Trey griff danach.

»Kann sein, dass er nicht anspringt«, ächzte Mark neben ihm. Er war also doch bei Bewusstsein. »So wie er umgekippt ist, können leicht ein paar Drähte durcheinander geraten sein oder der Motorblock ist gerissen oder was-weiß-ich …«

Trey drehte den Zündschlüssel um und der Motor sprang stotternd an.

»Gute alte Bessie«, murmelte Mark. »Nie wieder verlier ich ein böses Wort über diesen Wagen.«

Trey ließ die Kupplung so langsam wie möglich kommen. Wie ein Profi legte er den Gang ein.

Als er in den vierten Gang schaltete, drückte er das Gaspedal ganz durch, und der Wagen schoss in die Dämmerung, dass der Fahrtwind von allen Seiten ins Fahrerhaus rauschte.

29. Kapitel

Eine Viertelstunde später erreichten sie das Gefängnis von Nezeree.

Trey fuhr auf das Eingangstor zu und verringerte das Tempo.

»Wir holen zuerst den Freund des Wachmanns«, sagte er zu Mark. »Ich denke, wir müssen nach seinen Regeln spielen, selbst ... selbst wenn es ein Trick ist.«

Insgeheim hoffte Trey, Mark würde ihm widersprechen und ihm irgendeinen brillanten Alternativplan aufzeigen. Doch Mark stöhnte nur. Es war jetzt hell genug, dass Trey die Blässe in seinem Gesicht erkennen konnte und die Blutflecken auf dem Hemd, das er um sein Bein gewickelt hatte.

»Vielleicht ist der Freund des Wachmanns ein Arzt, der dein Bein behandeln kann«, scherzte Trey halbherzig.

»Ketten«, murmelte Mark.

»Wie?«

»Ketten ... unter dem Sitz«, wiederholte Mark. »Leg sie mir um, damit es so aussieht als ...«

»Oh. Damit du aussiehst wie ein Gefangener«, beendete Trey den Satz, damit Mark nicht weitersprechen musste. Nach einem besorgten Blick in den Rückspiegel, um sicherzugehen, dass sich nicht wieder ein Mob auf sie stürzen würde, fuhr er an den Straßenrand, kramte unter dem Sitz und zog einen Kettenstrang hervor, den er um Marks Körper wickelte. Dabei streckte Mark die rechte Hand zur Seite weg.

»Was ist denn das?«, sagte Trey und starrte auf eine schmerzhaft aussehende Wunde in Marks rechter Handfläche.

»Verbrennungen«, sagte Mark mit zusammengebissenen Zähnen. »Vom Elektrozaun. Auf dem Rücken hab ich auch welche.«

»Warum hast du mir nichts davon erzählt?«

»Keine Zeit«, stöhnte Mark. »Beeil dich.«

Sorgsam achtete Trey darauf, dass die Kette weder Marks Bein noch die Verbrennungen direkt berührte, trotzdem stöhnte dieser vor Schmerz.

»Schwer«, murmelte Mark. Schweißperlen glitzerten an seinem Haaransatz und er zitterte am ganzen Körper. Trey kramte in seiner Erinnerung: Konnte jemand an einem gebrochenen Bein sterben? Und war die Berührung mit dem Elektrozaun vom Vortag womöglich immer noch gefährlich für Mark?

Er verdrängte diese Sorgen und fuhr vor das Gefängnistor. Zu beiden Seiten erhoben sich hohe Maschendrahtzäune, auf denen messerscharfe Stacheldrahtrollen befestigt waren.

»Nicht schon wieder ein neuer Gefangener«, maulte der Dienst habende Wachtposten, als er ins Führerhaus hineinsah.

»Nein, nein«, erklärte Trey beruhigend. »Ich hole hier noch einen Gefangenen ab und bringe beide nach Churko.«

Er war erleichtert, dass der Wachtposten ihn offensichtlich als Bevölkerungspolizisten und Mark als Gefangenen akzeptierte – trotz ihrer jämmerlichen Aufmachung und des ramponierten Aussehens des Pritschenwagens. Trey reichte die Vollmachten aus dem Fenster. Der Wachtposten sah die Dokumente durch und gab sie ihm sofort zurück.

»Das Büro des Lagerkommandanten ist geradeaus auf der rechten Seite«, erklärte er.

»Danke«, sagte Trey.

»Übrigens, der Lagerkommandant ist ein echter Pedant in puncto Erscheinungsbild, wenn du verstehst, was ich meine«, fügte der Wachmann hinzu.

»Oh«, sagte Trey.

»Nur damit du gewarnt bist«, sagte der Mann. »Er liebt blank polierte Schuhe.«

Trey betrachtete seine Schuhe, von denen der Dreck abfiel, und seine fleckige, zerrissene Hose.

»Kann ich mir vielleicht eine Reserveuniform leihen?«, fragte Trey.

Grinsend schüttelte der Wachmann den Kopf.

»Viel Glück«, fügte er hinzu, als fände er das alles überaus komisch.

Na toll, dachte Trey. *Mark ist halb ohnmächtig vor Schmerzen. Ich bin womöglich im Begriff, in eine Falle zu laufen, und weiß immer noch nicht, ob ich Lee, Nina und die anderen noch rechtzeitig retten kann – und dieser Kerl hier amüsiert sich darüber, dass ich gleich angebrüllt werde, weil meine Schuhe nicht blank poliert sind.*

Vielleicht werde ich Lee, Nina und die anderen – oder auch Mark – gerade deshalb nicht retten können, weil meine Schuhe nicht blank poliert sind ...

Grübelnd fuhr Trey auf das Büro des Lagerkommandanten zu. Es war ein kleines, sauberes Gebäude, dessen Zugangsweg von Blumen gesäumt war. Ein Junge, etwa in Treys Alter – der jedoch eine wesentlich sauberere Uniform trug –, putzte die Fensterscheiben. Hinter dem Bürogebäude standen Dutzende Pkws, Lastwagen und Busse der Bevölkerungspolizei und glänzten in der frühen Morgensonne. Sämtliche Fahrzeuge sahen aus, als habe man sie mit der Zahnbürste sauber geschrubbt und mit dem Lineal nachgemessen, damit sie auch wirklich in exakt gleichem Abstand geparkt waren.

In gebührender Distanz zu einem Betonpfeiler vor dem Büro des Kommandanten stellte Trey den Wagen ab. Es war sein bester bisheriger Parkversuch, trotzdem ragten die Räder über die weißen Markierungen hinaus, die den Parkplatz begrenzten.

Doch das war seine geringste Sorge.

»Ich komme zurück, sobald ich kann«, sagte Trey zu Mark.

Mark nickte und schien noch ein wenig blasser zu werden.

Trey kletterte aus dem Wagen und ging zum Eingang des Bürogebäudes. Er klopfte gegen den Holzrahmen und versuchte sein Klopfen amtlich und präzise klingen zu lassen.

»Herein«, rief jemand.

Trey holte tief Luft, machte die Tür auf und trat auf einen kostbar aussehenden Teppich. Hinter einem riesigen Schreibtisch aus Edelholz saß ein Mann in ordengeschmückter Uniform. Trey musste sich daran erinnern, dass er keine Zeit hatte, die vielen Bänder und Ehrenabzeichen des Mannes zu studieren.

»Sir!«, brüllte er und ließ die Hand zum Gruß an die kappenlose Stirn schnellen. »Officer Jackson meldet sich zur Stelle. Bitte um Erlaubnis, meine Papiere vorzeigen zu dürfen.«

Der Mann machte ein erstauntes Gesicht.

»Stehen Sie bequem«, sagte er, »und fahren Sie fort.«

»Ich muss mich zuerst für mein Erscheinungsbild entschuldigen, Sir!«, schnarrte Trey.

Der Mann musterte ihn von oben bis unten und sein fülliges Gesicht verdüsterte sich für einen Moment.

»Dann entschuldigen Sie sich«, sagte er.

»Sir!«, sagte Trey wieder. »Ich bereite dieser ehrenvollen Uniform Schande.« Die Entschuldigung, die der Wachmann im Hauptquartier benutzt hatte, fiel ihm wieder ein. »Ich war gezwungen einen Gefangen zu überwältigen, dem es an Respekt vor der Autorität der Bevölkerungspolizei fehlte. Ich weiß, das ist keine Entschuldigung, aber es ist der Grund dafür, dass ich so schmutzig bin und meine Uniform zerrissen ist. Außerdem habe ich meine Mütze verloren. Ich bin tief beschämt in dieser Aufmachung vor Ihnen zu erscheinen.«

»In der Tat«, sagte der Mann. Doch nun lächelte er. »Ich wünschte, die Männer in meiner Einheit würden Ihre Besorgnis teilen. Es ist Ihnen hoffentlich gelungen, den Gefangenen zu überwältigen?«

»Jawohl, Sir«, sagte Trey. Aufbauend auf der Theorie, dass ein Funken Wahrheit eine Lüge verstärkt, fügte er hinzu: »Ich habe ihm das Bein gebrochen, Sir. Es könnte sein, dass er stirbt.«

»Gut gemacht«, sagte der Mann.

Bei diesen Worten hatte Trey Mühe, seine Abscheu zu verbergen. Wie konnte dieser Mann nur so großen Wert auf blank polierte Schuhe legen und so wenig Wert auf ein Menschenleben?

Der Lagerkommandant schaute aus dem Fenster, wo Mark in Ketten im Wagen saß.

»Wird der Gefangene meiner Zuständigkeit unterstellt?«, fragte er.

»Nein, Sir«, erwiderte Trey. Da er immer noch salutierte, begann ihm allmählich der Arm wehzutun, doch Trey nahm ihn nicht vom Kopf. »Ich soll einen Ihrer Gefangenen abholen und beide nach Churko verlegen.«

Der Kommandant bedeutete Trey ihm die Dokumente zu überreichen. Er sah die Papiere durch und schien jedes Blatt aufmerksam zu lesen.

»Sie holen auch in Slahood Gefangene ab? Das ist merkwürdig ...«, murmelte er.

»Ich führe nur Befehle aus, Sir!«, sagte Trey und hoffte ihn dadurch abzulenken.

Der Kommandant kniff die Augen zusammen und sah Trey prüfend ins Gesicht. Besorgt fragte sich Trey, ob er zu weit gegangen war. Er hatte versucht sich genauso zu benehmen wie ein kriecherischer Speichellecker in einem Militärroman, den er einmal gelesen hatte. Woher sollte er wissen, wie sich Bevölkerungspolizisten in Wirklichkeit ausdrückten?

Dann sagte der Kommandant: »Ihre Einstellung gefällt mir, junger Mann. Sind Sie ein neuer Rekrut?«

Trey wollte lieber bei der Wahrheit bleiben, für den Fall, dass der Lagerkommandant seine Angaben überprüfen würde.

»Jawohl, Sir! Ich bin erst gestern beigetreten, Sir!« Hatte er wirklich gestern noch in der langen Schlange vor der Villa der Grants gestanden? Es schien ihm Ewigkeiten her zu sein.

»Leider fehlt den neuen Rekruten, die man mir zugewiesen hat, Ihre Begeisterung für die Sache. Sie interessieren sich nur fürs Essen«, schnaubte der Kommandant. Das war ein unfairer Einwand, wenn man bedachte, dass der Kommandant gut und gern zweihundertfünfzig Pfund auf die Waage bringen musste – ganz offensichtlich hatte er schon sehr viel Zeit damit verbracht, sich fürs Essen zu interessieren. »Besteht eine Aussicht, Sie in meine Einheit versetzen zu lassen?«

Na toll, dachte Trey. *Jetzt habe ich meine Rolle wohl zu gut gespielt.*

»Sir?«, wandte er vorsichtig ein. »Ich möchte meinem jetzigen Kommandanten gegenüber nicht abtrünnig werden. Ich muss zuerst meine Pflicht erfüllen, ehe ich daran denken kann, mich versetzen zu lassen.«

»Natürlich«, pflichtete ihm der Kommandant bei. »Ich hätte wissen müssen, dass Ihre Antwort so lauten würde.« Er ordnete Treys Dokumente zu einem sauberen Stapel. »Ich werde Folgendes veranlassen. Ich schicke unverzüglich einen meiner Männer los, um die Gefangenen aus Slahood zu holen. Das wird Ihnen viel Zeit ersparen. Außerdem sende ich einen Wachmann zum Zellenblock Drei hier in Nezeree und lasse den Gefangenen« – er warf einen Blick auf die Unterlagen – »Nr. 908653 vorführen. Und Ihnen lasse ich eine neue Uniform kommen, die Sie anziehen können, während Sie warten.« Der Kommandant blaffte einige kurze Anweisungen in ein Sprechgerät auf seinem Schreibtisch und die Maschinerie setzte sich in Gang.

»Vielen Dank, Sir«, sagte Trey, der sein Glück kaum fassen konnte.

»Wäre noch der Gefangene im Wagen«, fuhr der Kommandant fort. »Für ihn unterzeichne ich auf der Stelle den Exekutionsbefehl.«

»Wie?« Der luxuriöse Raum schien ein wenig in Bewegung zu geraten. Bestimmt hatte Trey den Kommandanten nicht richtig verstanden. Seine brillanten Lügen konnten unmöglich zu diesem Ergebnis geführt haben.

»Wegen tätlichen Angriffs auf einen Officer der Bevölkerungspolizei«, erklärte der Kommandant gelassen. »Denn das ist ein Schwerverbrechen, müssen Sie wissen.«

Er griff zum Stift.

30. Kapitel

Jetzt drehte sich wirklich das ganze Zimmer um Trey. Mark wurde zum Tode verurteilt, aber es war Trey, vor dessen Augen sein gesamtes Leben vorüberzog. Wie hatte er das tun können? Wie konnte er Mark – zwei Mal! – das Leben retten, nur um ihn hier sterben zu sehen, kurz vor dem Wiedersehen mit seinem Bruder?

»Nein!«, entfuhr es ihm.

»Was haben Sie gerade gesagt?«, fragte der Lagerkommandant und sein Stift stockte über dem Papier.

»Ich meine: ›Nein, Sir.‹ Ich meine –« Trey dachte verzweifelt nach. »Der Gefangene hat es sicher verdient zu sterben, weil er mir, als einem Officer der Bevölkerungspolizei, den Respekt versagt hat. Aber... der Kommandant von Churko beabsichtigt diesen Gefangenen foltern zu lassen, aus persönlichen Gründen. Und er möchte seine Hinrichtung selbst beaufsichtigen.«

»Ah«, sagte der Kommandant. Er schien nachzudenken. »Ich verstehe.« Dann nahm er ein anderes Formular von einem der Stapel auf seinem Schreibtisch. »Dann werde ich anordnen, dass man sich auf der Krankenstation um sein Bein kümmert und ihn mit Medikamenten versorgt, damit er lange genug am Leben bleibt, dass mein Kollege in Churko ihn foltern lassen kann.«

Trey sah fassungslos mit an, wie der Mann die Order verfasste und über die Sprechanlage einen Untergebenen zu sich rief.

Was ist das für ein Mensch, der es fertig bringt, einen Jungen aus einer Laune heraus zu töten oder zu retten?, fragte sich Trey. *Was ist das für eine Regierung, die einem Einzelnen eine derartige Macht zugesteht?*

Ein Uniformierter erschien in der Tür und trat wortlos ein. Der Kommandant sah ihn missbilligend an.

»Nedley, fahren Sie das Fahrzeug dieses Mannes zur Krankenstation und sorgen Sie dafür, dass sein Gefangener dort behandelt wird«, befahl er. »Officer Jackson, übergeben Sie ihm die Schlüssel.«

»Ich – ich fühle mich verantwortlich für den Gefangenen, Sir«, sagte Trey. »Ich werde ihn selbst hinbringen, wenn Sie mir sagen, wo ich hinmuss.«

»O nein«, erwiderte der Kommandant. »Sie müssen lernen mit der Befehlskette umzugehen, mein Sohn. Denken Sie an meine Worte. Sie werden es in der Bevölkerungspolizei weit bringen, deshalb müssen Sie lernen zu delegieren. Nedley – tun Sie, was ich sage!«

Trey sah keine andere Möglichkeit, als dem stummen Nedley die Schlüssel zu reichen.

Was passiert, wenn sie entdecken, dass Mark gar nicht richtig angekettet ist?, fragte er sich. *Was, wenn das alles nur ein Trick ist? Wie wird Mark reagieren, wenn dieser fremde Officer zu ihm in den Wagen steigt?*

Doch zumindest diese letzte Sorge erwies sich als unbegründet. Beim Blick aus dem Fenster sah Trey, dass Mark vor Schmerzen anscheinend wieder ohnmächtig geworden war.

»Oh, und, Nedley«, fuhr der Kommandant fort, »tanken Sie das Fahrzeug auf, bevor Sie es zurückbringen.«

»Jawohl, Sir«, erwiderte Nedley lahm.

Trey beobachtete angespannt, wie Nedley in den Wagen stieg, ihn anließ und davonfuhr. Der Kommandant deutete Treys Besorgnis falsch.

»Erfrischend, mit anzusehen, dass ein junger Rekrut seine Pflichten so ernst nimmt«, murmelte er. »Ich werde *auf jeden Fall* darum ersuchen, dass man Sie hierher versetzt, nachdem Sie Ihre Gefangenen in Churko abgeliefert haben. Hier wartet eine wesentlich angesehenere Stellung auf Sie. Sehen Sie dieses Telefon?« Er zeigte auf einen dunklen, schweren Apparat, der in der Mitte seines blitzsauberen Schreibtisches einen Ehrenplatz einzunehmen schien. »Ich verfüge über eine sichere Direktverbindung zum Hauptquartier und werde mich unverzüglich mit den höchsten Stellen in Verbindung setzen. Draußen in Churko – pah! Ich wette, im Hauptquartier weiß kaum einer, dass es Sie überhaupt gibt.«

»Sie haben eine wirklich eindrucksvolle Position inne, Sir«, bemerkte Trey höflich, aber abgelenkt von seinen Sorgen um Mark, Lee und die anderen und um den geheimnisvollen Gefangenen, den er dem Wachmann im Hauptquartier übergeben sollte.

Wir brauchen den Gefangenen gar nicht mehr, um ihn gegen den Schlüssel für Marks Käfig einzutauschen, ging Trey plötzlich auf. *Also, was mache ich mit ihm, wenn ich uns alle wohlbehalten hier rausbekomme? Ihn am Straßenrand aussetzen, damit die Streunerbanden über ihn herfallen können?*

Doch dann überkam ihn ein heftiges Gefühl der Scham. Er

dachte genau wie ein Bevölkerungspolizist, der glaubte, man könne menschliches Leben einfach wegwerfen. Trey fühlte sich plötzlich schwindelig und schwankte ein wenig.

Der Kommandant pries immer noch die Vorzüge des Gefängnisses von Nezeree.

»Wir sind ein Vorbild für das gesamte System. Ich will Ihnen sagen – ah, legen Sie die Sachen einfach dort drüben ab. Wegtreten!«

Ein junger Polizist hatte eine neue Uniform für Trey hereingebracht. Der Kommandant sah auf die Uhr, während der Adjutant die Uniform auf einen Stuhl legte und sich leise entfernte.

»Zeit für die morgendliche Inspektion der Unterkünfte«, sagte der Kommandant. »Ich lege allergrößten Wert auf Pünktlichkeit. Ich sage Ihnen was. Sie begeben sich in mein Privatquartier; dort können Sie sich duschen und umziehen. Vielleicht auch etwas frühstücken, wenn Sie möchten. Ich komme gleich zurück. Und die Gefangen haben wir im Nu für Sie bereit.«

»Jawohl, Sir«, sagte Trey. Er nahm die saubere Uniform und ging durch die Tür, auf die der Kommandant zeigte. Seine Beine schienen aus Gummi zu sein und sein Kopf fühlte sich ebenso dumpf an.

Wie es Mark jetzt wohl ergeht, während ich in den Genuss einer schönen heißen Dusche komme? Wie lange wird es dauern, bis Lee hier ist? Was passiert, wenn wir das nicht durchziehen können?

Ein klitzekleines Stimmchen in seinem Kopf riet ihm durch das nächste Fenster zu klettern und sich irgendwo ein Versteck zu suchen, doch ignorierte er diesen Impuls. Stattdessen zog er sich aus, trat unter die Dusche und drehte den Wasserhahn voll auf.

Wenigstens sterbe ich sauber, wenn sie meinen Bluff durchschauen, dachte er bitter. *Dem Kommandanten würde das gefallen.*

Das heiße Wasser schien seinem Verstand gut zu tun. Er bemerkte, dass die Wasserhähne aus reinem Kristallglas waren und der Duschkopf aus glänzendem Messing. Nachdem er sich abgetrocknet und angezogen hatte, fuhr er mit dem Handtuch über die teuer wirkenden Kacheln an den Wänden und den Boden der Duschkabine. Er wischte alles bis auf den letzten Tropfen trocken, so dass die Dusche praktisch unbenutzt aussah. Den Kommandanten mit einer Nichtigkeit wie einer unordentlichen Duschkabine zu verärgern war das Letzte, was er gebrauchen konnte. Er überlegte, was er mit seiner schmutzigen alten Uniform anfangen sollte, und stopfte sie schließlich in einen unter dem Spülbecken verborgenen Abfalleimer.

Er war schon halb aus der Badezimmertür, als ihm die Papiere der Grants und der Talbots einfielen, die noch in der alten Uniform steckten.

Sie sind sicher nicht mehr wichtig, dachte er. Er war fast in Versuchung zu glauben, dass auch sonst nichts mehr wichtig war, dass er und seine Freunde so oder so verloren waren. Trotzdem zwang er sich noch einmal kehrtzumachen und die Papiere ein weiteres Mal zu retten. Er verstaute sie in einer versteckten Innentasche seiner neuer Uniform.

Wenn ich die Papiere retten kann, kann ich vielleicht auch meine Freunde retten, dachte er abergläubisch.

202

Rastlos pilgerte er von Zimmer zu Zimmer. Wann würden der Kommandant zurückkommen und Mark wieder auftauchen und wann würden die anderen Gefangenen aus Slahood eintreffen?

Wie seltsam, dachte Trey. *Ich weiß schon gar nicht mehr, wie man still sitzt.*

Er zwang sich in der kleinen, aber gut ausgestatteten Kochnische zwei englische Muffins und eine Schale Müsli zu verdrücken, doch tat er es mehr aus Notwendigkeit als aus Lust. Trey wusste, dass er die Nahrung brauchte, aber er konnte sich einfach nicht aufs Essen konzentrieren.

Als er wieder anfing auf und ab zu pilgern, hörte er Stimmen hinter einer der Türen im Gang neben dem Büro des Kommandanten. Im Glauben, der Lagerleiter sei zurückgekommen – oder seine Freunde seien endlich eingetroffen –, lehnte er sich an die Tür, um zu lauschen.

»... das Topthema unserer Nachrichten...«, sagte eine Stimme gerade.

Fernsehen?, überlegte Trey.

Leise klopfte er an die Tür. Als niemand antwortete, drehte er den Türknauf und öffnete die Tür einen Spalt weit. Ein Fernseher lief in einem Zimmer, in dem lauter Sessel standen. Trey ließ sich in einem davon nieder.

Der Kommandant hätte sicher nichts dagegen, dass ich ein wenig fernsehe, oder?, überlegte Trey.

Als er das letzte Mal ferngesehen hatte, hatte er vom Umsturz der Regierung durch die Bevölkerungspolizei erfahren. Daher beäugte er die Mattscheibe mit Unbehagen.

»Gestern Abend hielt unser glorreicher Führer eine Rede,

die vom Volk mit Begeisterung aufgenommen wurde«, kommentierte eine Männerstimme Aufnahmen von Aldous Krakenaur, der mit erhobenen Fäusten vor einer riesigen, jubelnden Menschenmenge stand.

Wo sind die hungernden Menschen, die um Nahrung betteln?, fragte sich Trey.

Wieder packte ihn die Rastlosigkeit und er stand auf und begann durch die Kanäle zu schalten. Die ersten vier Programme brachten alle den gleichen Bericht. Im fünften war Krakenaur allein zu sehen; diesmal saß er an einem Schreibtisch in dem Raum, den Trey als sein Büro im Hauptquartier der Bevölkerungspolizei wiedererkannte. Unter dem Bild waren die Worte »SBP, Sendeanstalt der Bevölkerungspolizei« eingeblendet.

Es hatte eine gewisse Logik: Wenn die Barone über ihre eigenen Fernsehsender verfügten, warum nicht auch die Bevölkerungspolizei?

Treys Empfinden nach starrte Krakenaur mit beängstigender Intensität in die Kamera.

»Diese fünf Männer wurden letzte Nacht beim Schmuggeln ertappt«, berichtete Krakenaur. Er hielt fünf Fotos hoch. Die Kamera nahm jedes einzelne davon ins Bild.

Als Trey genauer hinsah, verschlug es ihm den Atem. Auf dem ersten Foto war der Wachtposten zu sehen, dem er in der vergangenen Nacht auf der Brücke begegnet war, bevor er den Pritschenwagen geholt hatte. Die anderen waren vermutlich jene Männer, die die Säcke über die Brücke transportiert hatten. Nur dass sie auf den Bildern allesamt tot waren.

»Sie haben unserem Volk Nahrungsmittel gestohlen«,

sagte Krakenaur mit eisiger Stimme. Die Kamera richtete sich wieder auf ihn. »Der Tod ist noch zu milde für solche Verräter. Von jetzt an werden Schmuggler an Ort und Stelle erschossen. Nach meinem Dafürhalten sind sie ebenso abscheulich und widerwärtig wie dritte Kinder.«

Jemand außerhalb des Kamerabildes reichte Krakenaur ein Blatt Papier. Er senkte den Blick, um es zu lesen. Selbst mit seinen bescheidenen Erfahrungen im Verfolgen von Fernsehnachrichten vermutete Trey, dass man in einer regulären Nachrichtensendung an dieser Stelle zu einer anderen Person oder einem anderen Beitrag übergeblendet hätte. Einen Mann beim Lesen einer Notiz zu zeigen hätte als Verschwendung von Sendezeit gegolten. Doch die Kamera blieb weiter auf Krakenaur gerichtet, als wäre es Verrat, ohne seine Erlaubnis etwas anderes zu zeigen.

Als Krakenaur schließlich wieder aufsah, wirkte sein Blick noch kälter und härter als zuvor und seine Stimme war erfüllt von eisigem Zorn.

»Man hat mich soeben über weitere Verräter informiert«, sagte er. »Es handelt sich um Vater und Sohn, die mitten unter uns agierten. Sie waren Angehörige der Bevölkerungspolizei – denen wir vertraut und Respekt entgegengebracht haben und die große Verantwortung trugen. Aber sie haben uns betrogen! Uns alle haben sie betrogen!« Er schlug mit der Faust auf den Tisch. Trey zuckte zusammen, als befinde er sich im gleichen Raum wie Krakenaur, als sei er selbst das Ziel von Krakenaurs Faust.

»Man wird Jonas Sabin und seinen Sohn Jonathan hinrichten, sobald ihr Verhör beendet ist«, erklärte Krakenaur.

»Sämtliches Personal der Bevölkerungspolizei wird hiermit angewiesen jede Order von Jonas oder Jonathan Sabin als ungültig zu erachten. Alle von ihnen unterzeichneten Dokumente sind zu konfiszieren und die Inhaber dieser Dokumente festzusetzen. Das Ausmaß des Verrats wird zur Stunde noch untersucht. Sämtliche involvierten Stellen werden so bald wie möglich benachrichtigt.« Dann wandte er sich an jemanden hinter der Kamera. »Haben wir Bilder?«

Trey hörte ein gemurmeltes »ja, Sir« und »sofort, Sir« und dann ein Poltern, als habe jemand in der Hast, Krakenaur zu gehorchen, einen Stuhl umgeworfen. Eine Hand legte Fotos auf den Schreibtisch und Krakenaur hielt sie in die Kamera.

»Die Angehörigen der Bevölkerungspolizei sind gehalten sämtliche Gespräche und Begegnungen, die sie mit diesen beiden Personen gehabt haben, zu melden«, sagte Krakenaur, während die Kamera auf die Fotos zoomte. »Andernfalls werden auch sie als Verräter betrachtet.«

Langsam kamen die Fotos ins Bild, das des Sohnes zuerst: Es zeigte ein sommersprossiges Jungengesicht mit einem kecken Lächeln und Gesichtszügen, die Trey augenblicklich wiedererkannte.

»*Liber*«, flüsterte er.

Es war der Junge, der ihn auf der Veranda der Talbots entdeckt und gerettet hatte, indem er Trey riet im Versteck zu bleiben statt ihn der Bevölkerungspolizei zu melden. Einer von insgesamt zwei Bevölkerungspolizisten, die Trey je von Freiheit hatte sprechen hören.

Ein entsetzliches Gefühl von Verzweiflung stieg in ihm hoch.

Als das Bild des Vaters erschien, war er bereits nicht mehr überrascht. Es war ein Mann mit grauen Haaren und vertraut aussehenden Augen – vertraut, weil sie denen des Sohnes glichen. Trey hatte die Ähnlichkeit noch im Hauptquartier der Bevölkerungspolizei bemerkt, doch war ihm die Verbindung nicht recht klar geworden.

Es war der Wachmann, der sämtliche Dokumente ausgestellt hatte, mit denen Trey nach Nezeree gekommen war.

»Jede Order von Jonas oder Jonathan Sabin ist als ungültig zu erachten«, hatte Krakenaur gesagt. »Alle von ihnen unterzeichneten Dokumente sind zu konfiszieren und die Inhaber dieser Dokumente festzusetzen. Das Ausmaß des Verrats wird zur Stunde noch untersucht. Sämtliche involvierten Stellen werden so bald wie möglich benachrichtigt.«

Konnten Trey und seine Freunde aus Nezeree entkommen, bevor der Kommandant davon erfuhr?

In der Ferne hörte Trey in einem anderen Zimmer ein Telefon klingeln. Wie in Trance stolperte er aus dem Fernsehraum und folgte dem Laut. Er betrat das Büro des Kommandanten und fand seine Befürchtungen bestätigt: Das Telefon auf dem Schreibtisch des Kommandanten schrillte – der heiße Draht zum Hauptquartier der Bevölkerungspolizei.

31. Kapitel

Trey hechtete unter den Schreibtisch des Kommandanten und riss das Telefonkabel aus der Dose. Er wünschte, er hätte ein Messer bei sich. Da er keines hatte, nahm er die Plastikummantelung des Kabels in den Mund und nagte mit den Zähnen daran herum. Endlich schaffte er es, das Ende durchzubeißen, so dass die zerrissenen Drähte in die Luft ragten.

»Was hat das zu bedeuten?«, dröhnte plötzlich eine Stimme hinter ihm.

Trey spuckte den Plastikstecker aus und drückte das Telefonkabel tief in den Teppich. Er rutschte unter dem Tisch hervor und richtete sich langsam auf. Der Kommandant kam gerade erst zur Tür herein. Was hatte er gesehen und was gehört?

»K-k-küchenschabe, Sir«, stammelte er. »Es tut mir Leid. Ich habe das Vieh unter Ihren Tisch flitzen sehen und – ich weiß, wie sich Schaben vermehren – da dachte ich mir, wenn ich sie fange –«

»Haben Sie's geschafft?«, fragte der Kommandant.

»Nein, Sir. War nicht schnell genug. Tut mir Leid, Sir.«

Der Kommandant betrachtete Trey misstrauisch. Und wenn er nun selbst nachsehen würde?

Das tut er nicht, versuchte Trey sich selbst zu beruhigen. *Er ist zu fett, um drunterzupassen.*

Der Kommandant sah zum Schreibtisch. War es nur Treys Einbildung oder starrte er wirklich auf das Telefon? Hatte er es doch klingeln hören?

Eine Maschine, die Ähnlichkeit mit einem Drucker hatte, begann hinter Trey Papier auszuspucken.

»Sieht aus, als bekäme ich ein Fax«, meinte der Kommandant. »Treten Sie zur Seite, Officer Jackson. Es ist mit Sicherheit geheim und Sie dürften dafür noch keine Berechtigung haben.«

Seine Stimme klang herausfordernd, doch Trey schöpfte Hoffnung aus dem Wörtchen »noch«.

Er hält mich immer noch für einen begeisterten Polizeirekruten, dachte er. *Er glaubt immer noch, ich bekäme irgendwann Zugang zur Geheimhaltungsstufe.*

»Warten Sie, Sir, ich hole Ihnen das Fax«, sagte Trey. »Ich verspreche keinen Blick darauf zu werfen.«

Er gab sich alle Mühe, ernst und übereifrig zu klingen und nicht wie ein Junge, der entsetzliche Angst vor dem hatte, was vermutlich auf dem Fax stand. Er musste gar nicht hinsehen, um es zu wissen. »Sämtliche involvierten Stellen werden so bald wie möglich benachrichtigt«, hatte Krakenaur gesagt. Der Telefonanruf war fehlgeschlagen, also nutzte die Bevölkerungspolizei natürlich andere Kommunikationswege.

»Einverstanden«, erwiderte der Kommandant ruhig. Doch er ließ Trey nicht aus den Augen.

Das Faxgerät spuckte immer mehr Seiten aus. Trey stand wartend davor, die Hand über der Maschine, während die Verzweiflung in ihm wuchs. Sollte er die Blätter zerreißen, sobald er sie in der Hand hielt? Oder lieber mit ihnen wegrennen? Was konnte er mit der Faxnachricht tun ohne sich selbst zu verraten – und für Mark, Lee und die anderen jede Chance auf Flucht zu vereiteln?

Aber welche Chance hat überhaupt noch jemand von uns?, fragte er sich verzweifelt.

Das letzte Blatt Papier lief heraus und die Maschine schaltete zurück in den Ruhezustand. Trey sammelte die Seiten ein. Ohne hinzusehen klopfte er das Bündel auf dem Büroschrank zurecht und strich die Ränder glatt.

Soll ich riskieren sie fallen zu lassen, um ein wenig Zeit herauszuschinden?

Doch um das zu versuchen, war er zu nervös, und er hatte zu viel Angst, den Kommandanten zu verärgern.

Das Getöse eines Lastwagens lenkte ihn für einen kurzen Moment ab.

»Ihre Gefangenen aus Slahood sind eingetroffen«, sagte der Kommandant, der aus dem Fenster sah.

Trey ließ die Papiere sinken und lief zum Fenster, als hätte er vor lauter Eifer, die Gefangenen zu sehen, das Fax vergessen.

»Wir haben unserem Gefangenen eine letzte Tracht Prügel verpasst, bevor er uns verlässt«, berichtete der Kommandant. Er beugte sich vor und betätigte das Sprechgerät. »Snyder, Sie können ihn jetzt heraufbringen.«

Trey spähte aus dem Fenster, während der Lastwagen vor dem Bürogebäude des Kommandanten vorfuhr. Lee, Nina, Joel und John saßen angekettet auf der Ladepritsche. Ebenso wie eine weitere Person, ein Mann.

Der Chauffeur?, fragte sich Trey unvermittelt. Er hatte ihn zuerst gar nicht erkannt, denn der Mann wirkte zwanzig Jahre älter als bei ihrer letzten Begegnung vor dem Haus der Talbots, vor etwa einer Woche. *Mark und ich haben nicht darum gebeten, den Chauffeur freizulassen*, überlegte Trey. *Wir können seinen Namen gar nicht erwähnt haben, weil wir ihn nicht wissen.*

Das Auftauchen des Chauffeurs verstärkte Treys Ängste noch. Alles geriet außer Kontrolle, auch ohne die gefährlichen Faxpapiere, die ihm in der Hand brannten.

»Ich gehe und helfe beim Umladen der Gefangenen«, sagte Trey.

»Aber mein Fax – junger Mann! Sie sind noch nicht entlassen!«, rief hinter ihm der Kommandant.

Trey tat, als höre er ihn nicht, auch wenn das nicht sehr glaubwürdig war. Er hätte taub sein müssen, um diese Rufe zu überhören. Trotzdem rannte er einfach zur Tür hinaus. Wie lange würde der Kommandant brauchen, um ihn einzuholen? Eine Minute? Zwei? Oder würde er sich die Zeit nehmen, über die Sprechanlage andere Wachleute herbeizurufen – Wachen, die ihn zusammenschlagen würden?

Trey versuchte diese Gedanken wegzuschieben.

Draußen zerrte der Fahrer aus Slahood bereits Treys Freunde und den Chauffeur von der Ladepritsche. Sie stolperten und fielen gegeneinander. Doch der Fahrer ließ ihnen nicht die Zeit, sich aufzurichten, sondern zog so lange an ihren Ketten, bis sie alle auf einem Haufen auf dem Boden lagen.

Keiner von ihnen gab auch nur einen Laut von sich.

»Wer unterschreibt mir für dieses Gesindel?«, fragte der Bevölkerungspolizist.

»Ich«, antwortete Trey und griff nach Klemmbrett und Stift, die der Mann ihm entgegenhielt. Mit seiner unleserlichsten Handschrift setzte er eine Unterschrift unten auf die Papiere.

»Alles klar«, sagte der Mann, stieg in den Lastwagen und fuhr davon.

Er sollte davonrennen und so viel Abstand wie möglich zwischen sich und den Kommandanten bringen, jede verbleibende Sekunde nutzen, um sich zu retten, das wusste Trey. Doch die Zeit schien einfach stehen zu bleiben, während er dastand und auf seine Freunde hinabsah, die wie tot zu seinen Füßen lagen und nicht den kleinsten Versuch unternahmen, sich aufzurappeln. Er war nicht sicher, ob sie ihn überhaupt erkannten.

»Jetzt ist alles gut«, hätte er gern zu ihnen gesagt. »Ich werde euch retten.« Doch das wäre eine Lüge gewesen – ihm blieb nicht die geringste Chance für eine Rettungsaktion. Andererseits hätte er gern ein paar Fragen gestellt: »Warum habt ihr mich im Stich gelassen? Warum seid ihr zum Haus der Grants zurückgefahren? Warum seid ihr nicht gekommen und habt mich geholt?«

Doch es war zu spät für Fragen. Der Kommandant kam aus seinem Büro gestürmt und brüllte: »Übergeben Sie mir auf der Stelle das Fax!«

Im gleichen Augenblick fuhr Nedley, der Wachmann, der Mark fortgebracht hatte, mit Marks zerbeultem Pick-up wieder vor. Mark saß auf dem Beifahrersitz und wirkte erschöpft, aber – zumindest für den Augenblick – eindeutig am Leben. Auch bei diesem Wagen lag hinten auf der Ladefläche ein Mensch; Trey konnte nicht erkennen, ob er tot oder lebendig war.

Das muss der Gefangene sein, für den Jonas Sabin sein Leben aufs Spiel gesetzt hat. Ich frage mich, warum er Sabin so wichtig war?, überlegte Trey bedrückt. Wahrscheinlich würde keine seiner Fragen je beantwortet werden. Er würde sterben und sich immer noch fragen, warum das alles geschehen war und was sein ganzer Mut nun gebracht hatte.

Nedley stellte den Wagen ab und sprang heraus.

»Steh nicht herum – hilf mir beim Aufladen«, zischte er Trey zu.

Trey sah von Nedley zum Kommandanten, der auf ihn zugeeilt kam. Es war nicht so, dass er wirklich eine Entscheidung traf. Er hatte immer noch keine Hoffnung zu entkommen, aber warum sollte er seinem Schicksal eher ins Auge sehen als nötig?

Trey stopfte das Bündel Faxpapiere in seine Jackentasche. Dann hievte er mit Nedleys Hilfe Nina, Lee, Joel, John und den Chauffeur auf die Ladepritsche. Aus den Augenwinkeln sah er den Kommandanten, der mit zwei Wachmännern im Schlepptau wütend herangeschnauft kam.

Natürlich. Er würde nie etwas so Würdeloses tun und sich Trey selbst schnappen. Jemand anderes musste die Drecksarbeit für ihn erledigen.

»Und du steigst auch ein«, flüsterte Nedley Trey zu.

»Hä?«, sagte Trey.

Zur Antwort gab Nedley ihm einen Stoß, der ihn auf die offene Ladefläche beförderte. Nedley selbst fiel oder kletterte mehr oder weniger auf ihn drauf.

»Halt! Moment! Meine Hand ist in der Kette eingeklemmt!«, schrie Nedley laut.

Wie auf ein Stichwort ruckte der Wagen plötzlich vorwärts. Trey klammerte sich wild an die Ketten, um nicht hinten herunterzufallen. Nedley zerrte die Ladeklappe hoch und sperrte sie damit alle auf die Ladefläche. Der Pick-up rollte weiter und nahm Fahrt auf.

»Hilfe! Der Gefangene – wir werden entführt! Anhalten! Nicht schießen – ich schnapp ihn mir!« Nedley richtete sich auf der Ladepritsche auf, kletterte über Lee, Nina und die anderen und arbeitete sich schwankend zum Fahrerhaus vor.

Trey verstand nicht ganz, was vor sich ging. Auf welcher Seite stand Nedley? Nur für alle Fälle warf sich Trey auf ihn, stieß ihn zur Seite und sprang dann mit einem Hechtsprung durch das offene Rückfenster ins Fahrerhaus des Pritschenwagens.

Mark saß mit schmerzverzerrtem Gesicht hinter dem Steuer. Sein gebrochenes Bein steckte vom Knie abwärts in einem Gipsverband und mit der Unterseite seines Gipsfußes drückte er aufs Gaspedal.

»Was machst du da?«, schrie Trey. »Hast du die Wagen dort hinten nicht gesehen? Sie werden uns in null Komma nichts einholen!«

»Nein, werden sie nicht«, sagte Mark und sah vorsichtshalber über die Schulter. »Wir haben ihnen die Reifen aufgeschlitzt.«

»Wirklich?«, staunte Trey.

Mark wich einem Wachtposten aus, der mit einem Gewehr in der Hand auf sie zugerannt kam.

»Tu so, als würdest du mich schlagen«, sagte Mark. »Und dann tauch ab und drück so fest wie möglich aufs Gaspedal. Mein Bein tut höllisch weh.«

Trey täuschte einen kräftigen Schwinger vor, rutschte nach unten und griff über Marks Gipsbein hinweg nach dem Gaspedal.

»Schneller oder langsamer?«, rief er zu Mark hinauf.

»Schneller. Immer schneller«, murmelte Mark.

Trey drückte fester und spannte seine Armmuskeln aufs Äußerste an. Es war schrecklich, nicht zu wissen, auf was sie in diesem Tempo zusteuerten. Die hohen Zäune und die überall angebrachten Stacheldrahtrollen fielen ihm wieder ein.

»Das Tor!«, schrie er Mark zu. »Der Wachtposten! Wie sollen wir daran vorbeikommen?«

»Das Tor steht noch offen für den Wagen aus Slahood«, murmelte Mark. »Und der Wachtposten –«

Trey hörte seitlich neben dem Wagen ein pfeifendes Geräusch.

»Tja, der hat vorbeigeschossen«, stellte Mark trocken fest. »War kein guter Schütze.«

Trey drückte das Gaspedal noch fester durch. Mark fuhr inzwischen Schlenker und drehte das Lenkrad über Treys Kopf in großen Schwüngen hin und her. Trey hörte immer noch Schüsse.

»Ich dachte, wir wären am Tor vorbei«, rief er. »Wer schießt denn da auf uns?«

»Hast du den Wagen aus Slahood vergessen?«, fragte Mark und fuhr einen noch größeren Schlenker.

Wieder hörte Trey Schüsse. Noch näher als zuvor. Aber da begann Mark zu lachen.

»Was passiert da?«, schrie Trey. Er hasste es, nicht Bescheid zu wissen und nichts sehen zu können. *Wenn ich aus dieser Sache lebend herauskomme*, schwor er sich, *will ich mich nie mehr verstecken.*

»Genial!«, rief Mark begeistert aus. »Dieser Nedley – was für ein Teufelskerl!«

»WAS IST LOS?«, schrie Trey. »WAS HAT NEDLEY GETAN?«

»Er hat am anderen Wagen sämtliche Reifen platt geschossen«, berichtete Mark. »Sie sind einfach stehen geblieben. Jetzt haben sie uns verloren. O Mann – wir sind so gut wie daheim!«

32. Kapitel

Das waren sie natürlich nicht. Sie waren von jeglichem Zuhause noch meilenweit entfernt. Zudem waren sie Flüchtlinge, die jederzeit ohne Vorwarnung erschossen werden konnten. Und Trey hatte immer noch keine Ahnung, warum Nedley ihnen half, wer der mysteriöse Gefangene war oder warum der Chauffeur hinten bei ihnen auf dem Pick-up gelandet war.

Trotzdem fühlten sie sich nach einer Viertelstunde sicher genug, um am Straßenrand stehen zu bleiben und Trey auch die restlichen Fahraufgaben übernehmen zu überlassen. (Er war so froh darüber, endlich wieder etwas zu sehen, dass ihn das helle Sonnenlicht nicht im Mindesten störte.) Eine weitere Viertelstunde später lenkte Trey den Pick-up in ein kleines Wäldchen, in dem sie von der Straße aus nicht mehr zu sehen waren. Er und Nedley gingen noch einmal zurück, strichen den Kies glatt und verwischten sämtliche Spuren.

»Warum?«, fragte Trey. »Warum haben Sie Mark und mir geholfen?«

»*Liber*«, murmelte Nedley.

»Ach so«, sagte Trey gedehnt. »Dann hat der *liber*-Verein also doch mehr als nur zwei Mitglieder.«

»Es gab Dutzende von uns«, erwiderte Nedley.

»Das ist toll. Ich meine –«, Trey versuchte seine Worte zu begreifen.

»Die meisten von uns sind inzwischen tot«, fuhr Nedley fort. »Aber zumindest haben du, ich und Mark unseren Anführer gerettet.«

»Wen?«, fragte Trey.

»Den zusätzlichen Gefangenen hinten auf dem Wagen«, sagte Nedley. »Weißt du denn nicht, wer das ist?«

Trey schüttelte den Kopf. Es war alles so schnell gegangen, dass ihnen keine Zeit für eine Vorstellungsrunde geblieben war.

»Wer immer es auch ist, sind Sie sicher, dass er noch lebt?«, fragte Trey.

»Sehen wir nach«, schlug Nedley düster vor.

Sie stapften zum hinteren Teil des Pritschenwagens. Lee und die anderen begannen sich gerade aufzusetzen und vorsichtig über den Rand der Ladefläche zu spähen.

»Trey?«, entfuhr es Lee, heiser vor Staunen.

»Zu deinen Diensten«, sagte Trey.

»Du trägst eine Uniform der Bevölkerungspolizei«, stellte Lee fest.

»Ich hab dir doch gesagt, du wirst nicht glauben, was wir alles anstellen mussten, um dich zu retten«, brummte Mark gereizt aus dem Fahrerhaus.

»Aber du siehst so ... so echt aus«, sagte Lee.

Trey nickte stumm. Er sah die angstvollen Augen der anderen Freunde. Ihre Blicke wanderten entsetzt zwischen Trey und Nedley hin und her. Und zum ersten Mal spürte Trey das volle Gewicht der Uniform, die er trug.

»Äh, Luke«, sagte Mark. »So bedankt man sich nicht bei jemandem, der einen gerade aus dem Gefängnis geholt hat.«

Lees Blick wurde ruhiger.

»Ich bin dir was schuldig«, sagte er leise.

»Und ich bin dir was schuldig«, sagte Trey. Vielleicht würde er später Gelegenheit haben, Lee zu erklären, was er damit meinte; wie dankbar er ihm war, dass er ihn gelehrt hatte zu rennen und anzugreifen – mehr zu tun als sich zu verstecken.

Mutig zu sein.

»Ich glaube, Mr Talbot braucht einen Arzt«, erklärte Nina.

Trey starrte auf die Ladefläche – tatsächlich, der mysteriöse Gefangene war Mr Talbot. Er war so übel zugerichtet, dass Trey ihn nicht erkannt hatte. Seine Augen waren zugeschwollen und von riesigen violetten Blutergüssen umgeben, seine Lippen waren an mehreren Stellen aufgeplatzt und er atmete flach und rasselnd.

Schlagartig wurde Trey alles klar. Mr Talbot hatte als Doppelagent innerhalb der Bevölkerungspolizei gearbeitet. Die *liber*-Gruppe tat das Gleiche. Natürlich musste es da eine Verbindung geben. Und natürlich war Mr Talbot der Anführer von *liber*. An jenem Tag bei den Talbots musste Jonathan Sabin versucht haben seinen Anführer irgendwie zu retten und dabei hatte er Trey für ein weiteres Mitglied der Gruppe gehalten. Dieser Irrtum hatte Trey das Leben gerettet.

Doch irgendjemand innerhalb der *liber*-Gruppe musste Mr Talbot, die Sabins und alle anderen, die jetzt tot waren, verraten haben.

Nina fühlte Mr Talbot den Puls.

»Ich weiß nicht – ich frage mich, ob sein Puls nicht stärker sein müsste?«, sagte sie.

»Die durchschnittliche Pulsfrequenz eines Erwachsenen im Ruhezustand beträgt fünfzig bis hundert Schläge die Minute«, sagte Trey. »Bei wirklich gut trainierten Spitzenathleten kann sie zwischen achtundzwanzig und vierzig Schlägen liegen.«

Lee und Nina begannen zu lachen. Zuerst wunderte sich Trey, doch dann wurde ihm klar, wie komisch es war, dass er inmitten von Katastrophen solche Informationen abspulen konnte.

Danke, Dad, dachte er. *Ein paar nützliche Dinge hast du mir doch beigebracht.*

Dann wurden alle wieder ernst. Nedley kletterte auf die Ladepritsche und fühlte Mr Talbots anderes Handgelenk.

»Er ist kein Spitzenathlet«, sagte er. »Ich glaube nicht, dass dies ein guter Puls ist.«

»Was sollen wir tun?«, fragte Nina.

»Ich weiß, wo wir hinkönnen«, sagte Nedley. »Wo sich jemand um ihn kümmern kann und der Rest von uns in Sicherheit ist. So sicher wie möglich jedenfalls.«

»Aber kommen wir auch dorthin, ohne dass man uns erwischt?«, fragte Trey. »Und können wir allen ... vertrauen?« Er musste einfach zum Chauffeur hinübersehen, der davongefahren war und ihn vor dem Haus der Talbots zurückgelassen hatte.

Nina schien zu verstehen, was er meinte.

»Wir wollten dich nicht im Stich lassen, Trey«, sagte sie freundlich. »Es – es tut mir wirklich Leid, dass ich dich aus dem Auto geschubst habe. Wir bekamen es mit der Angst zu tun, als wir sahen, wie sie Mr Talbot abtransportierten, aber wir wollten zurückkommen und dich holen, sobald die Luft rein wäre – wir haben durch die Bäume zugesehen. Aber dann haben wir beobachtet, wie der Bevölkerungspolizist dich auf der Veranda entdeckt hat ... Wie kommt es, dass du nicht getötet wurdest?«

Trey versuchte sich vorzustellen, wie es für die anderen ausgesehen haben musste.

»Der Officer, der mich entdeckt hat, gehörte zur Widerstandsgruppe«, erklärte er. »Genau wie Mr Talbot. Und wie Nedley hier.«

»Und ich«, sagte der Chauffeur. »Ich war ebenfalls hinter den Kulissen tätig. Mr Talbot hatte mich zu den Grants geschickt, um ein Auge auf euch werfen zu können. Aber mir scheint, ich habe das nicht besonders gut bewerkstelligt.«

»Sie konnten doch nichts dafür, dass Mr Talbot verhaftet wurde«, beschwichtigte ihn Nina. »Und Sie konnten auch nichts dafür, dass die Bevölkerungspolizei sich das Haus der Grants unter den Nagel gerissen hat.«

Trey versuchte dem zu folgen.

»Also haben Sie für Mr Talbot gearbeitet«, wandte er sich an den Chauffeur. »Warum haben Sie uns das nicht gleich gesagt, nachdem Mr und Mrs Grant tot waren?«

»Hättet ihr mir denn geglaubt?«, fragte der Mann zurück.

Trey bezweifelte das. Er war damals völlig durcheinander. Alles war ein völliges Durcheinander gewesen.

»Ich hatte angenommen, ich könnte euch einfach zu Mr Talbot bringen und alles wäre in Ordnung«, erzählte der Chauffeur weiter.

Trey wurde klar, dass der Mann, auch wenn er erwachsen

war, genauso überrascht gewesen war wie er selbst, als die Männer der Bevölkerungspolizei über das Anwesen der Talbots herfielen. Er hatte sich genauso hilflos gefühlt und, genau wie Trey, hier und da eine falsche Entscheidung getroffen.

»Wir dachten, es wäre ein Glück, dass der Chauffeur entdeckt hatte, wo Lees Familie lebt. Wir dachten, wir würden ihn retten. Aber als wir zu den Grants zurückkamen, war die Bevölkerungspolizei auch schon da«, erzählte Nina. »Man hat uns wegen unerlaubten Eindringens verhaftet, nur weil wir durch das Eingangstor gefahren sind. Wir wussten doch nicht...«

»Wir wussten überhaupt nichts«, sagte Lee.

»Wir wissen immer noch nichts«, murmelte Joel.

Trey hatte den Jüngeren fast vergessen.

»Okay, okay, genug der alten Geschichten«, sagte Nedley. »Wir müssen *sofort* zu diesem sicheren Ort. Ich kenne einen Schleichweg. Was haltet ihr davon, wenn ich fahre?«

Trey setzte sich zu seinen Freunden hinten auf den Pick-up und Nedley schlüpfte hinters Steuerrad. Er fuhr einen zerfurchten Pfad hinab, der Trey niemals aufgefallen wäre.

Trey lehnte sich zur Seite und flüsterte Lee ins Ohr: »Was ist, wenn wir Nedley nicht vertrauen können? Wenn er uns in noch größere Gefahr bringt statt in Sicherheit?«

Lee zuckte nur mit den Schultern. Sie hatten keine große Wahl, nicht mit Marks gebrochenem Bein und dem bewusstlosen Mr Talbot. Abgesehen davon wirkten auch Lee, Nina, Joel, John und der Chauffeur so blass und ausgemergelt, dass sie nicht in der Lage gewesen wären, vom Wagen herunterzuspringen, selbst wenn ihr Leben davon abgehangen hätte.

»Haben sie euch im Gefängnis zu essen gegeben?«, fragte Trey.

Lee schüttelte den Kopf.

»Nicht viel«, sagte er. »Hin und wieder Schleimsuppe. Alle drei Tage vielleicht.«

Sie waren seit fast einer Woche ohne richtiges Essen – kein Wunder, dass sie nur dasaßen und vor sich hin starrten, als könnten sie nicht einmal die Bäume wahrnehmen, an denen sie vorbeirauschten, und die Zweige, die gegen den Pritschenwagen peitschten.

Trey spannte die Muskeln an und starrte in die Ferne, bereit sie alle zu verteidigen, wenn es sein musste.

Doch als sie aus den Bäumen wieder auftauchten, entspannte er sich sofort.

Direkt vor ihnen erhob sich ein großes, fensterloses Gebäude wie eine starke Burg. Es war einer der einzigen beiden Orte, an denen sich Trey je zu Hause gefühlt hatte.

Sie waren zurück in der Hendricks-Schule.

33. Kapitel

Nedley parkte den Wagen vor Mr Hendricks' Haus, der augenblicklich mit seinem Rollstuhl herausgerollt kam. Seine Augen waren auf das Abzeichen der Bevölkerungspolizei auf Nedleys schwarzem Hemd geheftet.

»Ich habe es Ihnen schon einmal gesagt!«, rief er. »Sie haben bereits alle meine arbeitsfähigen Angestellten mitgenommen. Ich habe nichts mehr, was –« Er brach ab, als er die restlichen Gestalten auf dem Pritschenwagen erblickte. Erleichterung und Freude spiegelten sich in seinem Gesicht, doch dann schien er seine Gefühle zu zügeln und starrte ihnen ausdruckslos entgegen.

Das war verständlich. Schließlich wusste er nicht, was vor sich ging oder was er gefahrlos sagen konnte.

»Immer mit der Ruhe, alter Mann«, sagte Nedley. »Ich bringe Ihnen einige Leute zurück. Und Sie können jedem von ihnen vertrauen.«

Da rollte Mr Hendricks beglückt vorwärts und rief: »Lee! Nina! Joel! John! Ich dachte, ich würde euch nie wieder sehen. Und –« Mit besorgtem Blick sah er sich um. Schließlich blieb sein Blick an Trey hängen. »Trey?«, sagte er verhalten. »In Uniform?«

»Das ist eine lange Geschichte«, sagte Trey.

»Ich habe auch George dabei«, sagte Nedley. »Er ist in schlechtem Zustand. Ist Ihre Pflegerin noch bei Ihnen?«

Mr Hendricks gab keine Antwort, er wandte nur den Kopf und rief in Richtung Haus: »Theodora! George ist hier!«

Eine Frau kam aus dem Haus gerannt – eine Frau mit leuchtend rotem wehendem Haar. Mrs Talbot.

Sie sah zum Fahrerhaus des Pick-ups, als erwarte sie Mr Talbot auf dem Fahrersitz vorzufinden, in führender Position. Auf die Ladefläche sah sie erst, nachdem sie allen anderen ins Gesicht gesehen hatte – Trey sogar zweimal.

»Du!«, sagte sie. »Du hast gesagt, du willst mir helfen. Und ich – ich habe dir nicht geglaubt . . .«

Sie weinte, noch bevor sie die Arme ausstreckte und Mr Talbots geschundenes Gesicht in die Hände nahm. Er stöhnte leise im Schlaf.

»Ich brauche Hilfe, um ihn ins Haus zu tragen«, befahl sie. »Er braucht Flüssigkeit und ich muss feststellen, ob er innere Verletzungen hat.«

Verblüfft über diese Verwandlung starrte Trey sie an.

»Theodora ist nicht nur eine gewaltige Nervensäge«, kicherte Mr Hendricks, »sondern auch eine überaus fähige Ärztin.«

»Sie sollten sich auch das Bein meines Bruders ansehen«, sagte Lee.

»Und seine Verbrennungen«, fügte Trey hinzu.

»Mir geht's gut«, brummte Mark.

Am Ende packten Trey, Nedley und Mrs Talbot zusammen an, um Mr Talbot ins Haus zu schaffen. Alle anderen hinkten und schleppten sich allein hinterher. Mr Hendricks machte sich in der Küche zu schaffen und brachte allen Gemüsesuppe und Toast.

»Sind Sie sicher, dass Ihnen niemand gefolgt ist? Dass die Spur nicht bis hierher zurückverfolgt werden kann?«, erkundigte er sich leise bei Nedley.

»Ich denke nicht«, murmelte Nedley. »Aber wer kann sich im Moment schon wirklich sicher sein?«

Trey war nicht so hungrig wie die anderen. Stattdessen schlief er ein, kaum dass er sich auf eines von Mr Hendricks' Sofas gefläzt hatte, und schreckte hoch, als die Alpträume einsetzten.

»Wann hast du das letzte Mal geschlafen, junger Mann?«, erkundigte sich Mrs Talbot.

»Geschlafen?«, wiederholte Trey, als habe er dieses Wort noch nie gehört. »Ähm, vorgestern Nacht, glaube ich.« Er hatte auf der Farm von Marks Eltern unter dem Pritschenwagen versteckt geschlafen. Doch das schien Ewigkeiten her zu sein.

»Dann geh ins Schlafzimmer und leg dich hin«, wies Mrs Talbot ihn an.

»Aber –« Trey war sich nicht sicher, ob er überhaupt jemals wieder schlafen wollte.

»Das ist eine ärztliche Anordnung«, sagte Mrs Talbot. »Du bist jetzt in Sicherheit. Und wenn du dich nicht bald richtig ausschläfst, fängst du an Gespenster zu sehen. Und zieh diese schreckliche Uniform aus – sie macht mir Angst!«

Ihren Anweisungen zu folgen, war leichter als sich ihnen zu widersetzen, also legte sich Trey auf das Bett. Doch jedes Mal, wenn er die Augen schloss, tauchte ein anderes Schreckensbild vor ihm auf: Der Kommandant von Nezeree ragte vor ihm auf und brüllte: »Gib mir das Fax!« Die aufgebrachte

Menschenmenge umzingelte ihn und schrie: »Essen! Essen! Gib uns zu essen!« Der Bevölkerungspolizist im Hauptquartier forderte: »Gib mir deinen Ausweis.«

Ich habe keinen Ausweis mehr, dachte Trey. *Der Kommandant weiß inzwischen bestimmt, dass ich ein Feind bin. Wie lange wird es dauern, bis sie uns schnappen?*

Es klopfte an die Tür und Mrs Talbot trat mit einer weißen Tablette in der einen Hand und einem Glas Wasser in der anderen ins Zimmer.

»Eine Schlaftablette«, erklärte sie. »Du wirst sie wahrscheinlich brauchen.«

»Geht es Mr Talbot gut?«, erkundigte sich Trey.

»Ich hoffe es«, sagte sie. »Dank dir. Ich . . . ich bin wirklich sprachlos. Ich hätte nicht gedacht, dass ihn noch jemand retten kann.«

Trey schluckte die Tablette.

»Ich auch nicht«, gestand er.

Und dann fiel er in den tiefsten Schlaf seines Lebens, ohne einen einzigen Traum.

Als er erwachte, war es draußen dunkel und im Haus herrschte Stille. Trey war am Verhungern. Am Fußende des Bettes entdeckte er ein frisches Hemd und eine Hose und er zog sich an. Dann ging er leise aus dem Zimmer in den Flur hinunter.

Seine Freunde saßen im Wohnzimmer vor dem Kamin.

»Ich habe ihm gesagt, dass er ohne mich weitermachen soll, aber Trey hat sich geweigert«, erzählte Mark gerade. »Und im nächsten Augenblick springt er mitten unter die Leute und schreit: ›Hier! Hier! Das Essen ist unter den Wagen gerollt!‹ Er hat die Leute dazu gebracht, den Pick-up wieder auf die Räder zu stellen, und dann, als hätte er Nerven aus Drahtseilen, hat er sie vom Wagen weggelockt, mich aufgehoben, genau wie Superman, und –«

»Das hört sich alles so einfach an«, widersprach Trey. »Du sagst kein Wort darüber, welche Angst ich ausgestanden habe.«

Mark drehte sich zu ihm um.

»Du hast überhaupt nicht ängstlich ausgesehen«, sagte er.

Kommen auf diese Art Heldengeschichten zustande?, fragte sich Trey. *Sie berichten einfach nur vom Mut und lassen die Angst weg?*

»Nimm dir Popcorn«, forderte Lee ihn auf und in seinem Blick lag Bewunderung.

Trey nahm sich eine Hand voll.

»Ich würde gern von deinem Abenteuer erfahren, Mark«, sagte er. »Wie habt ihr beide, du und Nedley, unsere Flucht aus Nezeree zuwege gebracht?«

»Ach, das«, meinte Mark bescheiden. »Da gibt's nicht viel zu erzählen.«

»Erzähle trotzdem«, sagte Trey.

Mark zuckte die Achseln.

»Mein Bein hat so wehgetan, dass ich nicht mehr klar denken konnte«, berichtete er. »Ich glaube, ich war gar nicht richtig bei mir, als du aus dem Wagen gestiegen bist. Das Nächste, was ich mitbekommen habe, war, dass dieser Furcht erregende Officer neben mir saß. Wahrscheinlich war ich total weggetreten, denn ich hab ständig ›liber, liber‹ gestöhnt – weil es mir schon einmal das Leben gerettet hat, verstehst du?

Da fängt dieser Officer, also Nedley, an mich anzustarren und schaut überhaupt nicht mehr weg –«

»Ich hatte Todesangst, dass du eine Falle sein könntest und mich nur dazu bringen wolltest, mich selbst zu verraten«, warf Nedley vom Sofa hinter ihnen ein. Trey wandte den Kopf und stellte fest, dass Nedley ebenfalls die Uniform ausgezogen hatte und nun zivile Kleidung trug.

»Nedley fährt mich also an: ›Sei still! Lass das!‹ Und da wusste ich, dass es für ihn irgendwie wichtig war. Also hab ich ihn um Hilfe gebeten«, sagte Mark.

»Was erzählst du da für Geschichten?«, rief Nedley lachend. »Was er wirklich gesagt hat, war: ›Hören Sie auf so zu tun, als gehörten Sie zu den Bösen. Ich brauche Ihre Hilfe, und zwar sofort!‹ Ich war so überrascht, dass ich fast gegen die Mauer der Krankenstation gefahren wäre.«

»Das habe ich doch nicht wirklich gesagt, oder?«, fragte Mark.

»Aber sicher«, bestätigte Nedley und gluckste. »Und dann hatte Mark die Idee, es so aussehen zu lassen, als würde er alle entführen. Er nahm an, dass niemand auf uns schießen würde, wenn die Gefahr bestand, ein ›unschuldiges‹ Mitglied der Bevölkerungspolizei zu treffen.«

»Sie haben trotzdem auf uns geschossen«, wandte Trey ein, während er ins Feuer und in die sich ständig verändernden Flammen starrte.

»Stimmt schon«, gab Mark zu. »Aber vielleicht nicht ganz so heftig, wie sie es andernfalls getan hätten.«

»Also habe ich Mark zur Krankenstation gebracht, wo sie sein Bein gerichtet und seine Wunden gesäubert haben«, erzählte Nedley weiter. »Besonders zärtlich waren sie nicht dabei. Das sind sie bei Gefangenen nie. Fünf Minuten später hüpft Mark draußen auf dem Gefängnisparkplatz von Wagen zu Wagen und sticht die Autoreifen platt. Wenn ich nicht solche Angst gehabt hätte, dass sie uns erwischen, hätte ich mich bei diesem Anblick totgelacht.«

»Ich kann gar nicht glauben, dass es funktioniert hat«, sagte Mark.

»Ich kann nicht glauben, dass du uns *und* Mr Talbot aus dem Gefängnis herausbekommen hast«, sagte Lee.

»Das verdanken wir Jonas Sabin«, sagte Trey. »Er hat alles geplant.«

Alle schwiegen und Trey wurde klar, dass auch die anderen über die Sabins Bescheid wussten.

»Jonas war ein guter Mann«, sagte Mr Hendricks leise. »Er war mein Freund.«

»Vielleicht haben sie ihn noch nicht hingerichtet«, sagte Trey. »Vielleicht verhören sie ihn noch –«

»Nein, sie haben seinen Tod im Fernsehen bekannt gegeben«, sagte Mr Hendricks bekümmert. »In den regulären Programmen. Die Bevölkerungspolizei versucht jeglichen Widerstand zu brechen, indem sie demonstriert, was mit Jonas passiert ist. Es war – ein schrecklicher Tod.«

»Er ruhe in Frieden«, sagte Mrs Talbot. »Der Himmel sei uns gnädig.«

Und irgendwie war das das Schlimmste von allem: Mrs Talbot so ernst und feierlich klingen zu hören. Sie hatte sich verändert, seit Trey sie das letzte Mal gesehen hatte; damals hatte sie damit geprotzt, sich in höchster Gefahr die Zehennägel lackiert zu haben, und aus einer Laune heraus eine kostbare Vase zertrümmert.

Ich habe mich auch verändert, dachte Trey. *Das haben wir alle.*

Aber was bedeutete das für ihre Zukunft?

34. Kapitel

Eine Woche lang lebten Trey und seine Freunde wie auf einer Krankenstation. Sie aßen, schliefen und ruhten sich aus. Ab und zu sahen sie ein wenig fern, doch meist gab es nur Aldous Krakenaur zu sehen, der vor einer jubelnden Menge glanzvolle Reden hielt. Mitunter fühlte sich Trey stark genug, um den Bildschirm anzuschreien: »Ach ja? Und was bekommen wir nicht zu sehen? Wie viele Menschen sind heute verhungert?« Die meiste Zeit aber saßen sie stumm da und zitterten beim Anblick von Krakenaurs geifernder Gestalt, bis sich einer von ihnen ein Herz nahm und den Fernseher abschaltete.

Trey wusste, dass seine Freunde diese Zeit brauchten, um zu genesen und sich zu erholen. Vielleicht brauchte er sie auch. Er ertappte sich dabei, dass er auf die spärlich hereintröpfelnden Neuigkeiten merkwürdig reagierte. Es dauerte zwei oder drei Tage, ehe er sich bei Mr Hendricks nach seinen Mitschülern erkundigte.

»Ich weiß ja, dass sie nicht draußen herumspringen und Krach machen würden«, sagte er. »Aber es geht ihnen doch gut drüben, oder nicht?«

Mr Hendricks seufzte schwer.

»Nein«, sagte er. »Nachdem die Regierung gestürzt wurde ... und die Bevölkerungspolizei die Macht übernommen hat ... wurden alle Schulen geschlossen. Vorübergehend,

232

haben sie gesagt. Dann sind sie gekommen und haben alle meine Schüler in Arbeitslager abtransportiert. Auch die arbeitsfähigen Lehrer haben sie mitgenommen ...«

Trey konnte Mr Hendricks nur entsetzt anstarren.

»Vermutlich hat mich mein Rollstuhl gerettet«, berichtete Mr Hendricks weiter. »Das und der Garten, den Lee zusammen mit den Schülern im letzten Frühjahr angelegt hat.«

Da begriff Trey, dass alle fort waren und Mr Hendricks von der Bevölkerungspolizei zurückgelassen worden war, um zu sterben. Sie wussten nicht, dass er genug Nahrung hatte, um den kommenden Winter zu überleben – genug selbst für neun weitere Personen.

Trey fragte nicht weiter. Er wandte sich ab und setzte sich zu Lee, um weiter fernzusehen.

Einige Tage später verkündete Mrs Talbot, dass sich ihr Mann vollständig erholen würde.

»Er sitzt aufrecht im Bett und spricht völlig klar«, schwärmte sie. »Es ist ein Wunder.«

Trey nickte nur, für Freude ebenso unempfänglich wie für Angst oder Schmerz.

An diesem Abend sprach Mrs Talbot Trey im Flur vor Mr Talbots Zimmer an.

»Er möchte dich gern sehen«, sagte sie.

»M-mich?«, stammelte Trey. »Sind Sie sicher, dass er nicht Lee sehen will?«

»Nein«, sagte Mrs Talbot und mit einem Anflug ihrer alten Munterkeit schüttelte sie den Kopf. »Er hat ausdrücklich nach dir verlangt.«

Trey folgte Mrs Talbot in das Krankenzimmer ihres Mannes. Die Veilchen um Mr Talbots Augen schimmerten inzwischen in trübem Gelb, aber immerhin konnte er die Augen jetzt aufmachen. Dort, wo sich keine Blutergüsse befanden, wirkte sein Gesicht weißer als der Kissenbezug.

»An einige Dinge erinnere ich mich nicht mehr«, krächzte Mr Talbot. »Ich weiß noch ... dass du am letzten Tag zu mir gekommen bist. Du standest vor meiner Tür, als sie bereits im Haus waren und mich mitnehmen wollten. Warum? Warum bist du gekommen? Was war ... so wichtig?«

»Die Grants«, sagte Trey. »Sie –« Er brach ab. Er konnte einem Mann, der selbst nur mit knapper Not dem Tod entronnen war, nicht sagen, dass seine beiden besten Freunde tot waren.

»Theo hat es mir erzählt«, sagte Mr Talbot. Er ließ sich in die Kissen zurückfallen. »War das alles?«

»Nein«, hätte Trey am liebsten gesagt. »Wir hatten schreckliche Angst und wollten, dass Sie sich um uns kümmern und alles richten.« Doch er wusste, dass das jetzt nicht mehr möglich war. Mr Talbot war nicht mehr die allmächtige, allwissende Leitfigur. Er war ein geschlagener, ernsthaft verwundeter Mann, der sich in einem kleinen, abgelegenen Unterschlupf im Bett verkrochen hatte. Wenn ihn die Bevölkerungspolizei jetzt fand, würde sie ihn wahrscheinlich töten.

»Ich wollte Ihnen die Papiere übergeben, die ich in Mr Grants geheimem Büro gefunden habe«, sagte Trey stattdessen achselzuckend.

Bei dieser Neuigkeit schien eine Veränderung mit Mr Talbot vor sich zu gehen. Er richtete sich kerzengerade auf, als sei er gerade auf wunderbare Weise genesen.

»Das wolltest du tun? Und hast du sie noch?«, fragte er.

Trey hatte die Papiere aus dem Pritschenwagen geholt und in sein Flanellhemd gesteckt, von dort waren sie in seine erste Polizeiuniform gewandert und, nachdem er in Nezeree geduscht und sich umgezogen hatte, in die zweite. Doch im Grunde hatte er seit jenem Tag in der Limousine keinen Blick mehr auf die Dokumente geworfen. Zusammen mit dem Fax des Lagerkommandanten steckten sie vermutlich immer noch in der Uniform, die zerknüllt und vergessen in einer Ecke seines Zimmers lag, wohin er sie mit einem Fußtritt befördert hatte.

»Ich denke schon«, sagte er.

»Kannst du sie holen? Jetzt gleich?«, bat Mr Talbot begierig.

»Sicher«, antwortete Trey.

Er ging und holte das Bündel Papiere. Nachdem er die Falten und Eselsohren glatt gestrichen hatte, reichte er sie Mr Talbot.

»Es sind nur Finanzbelege«, sagte er niedergeschlagen. »Mr Grant hat Ihnen Geld geschuldet, als er starb.«

»Nein«, sagte Mr Talbot. »Es sind Codes. Jede dieser Zahlen steht für ein drittes Kind mit einem falschen Ausweis. Grant dachte, ich hätte unter der Hand ein kleines Schwarzmarktgeschäft betrieben. Er vermutete, dass wir uns als Geldwäscher betätigen; selbst er kannte die Wahrheit nicht. Aber wenn Krakenaur diese Papiere gefunden hätte ... wenn die Bevölkerungspolizei es geschafft hätte, sie zu entschlüsseln ... dann hätte für niemanden von uns noch Hoffnung bestanden.«

Trey betrachtete die Dokumente plötzlich mit völlig anderen Augen. Er musste daran denken, dass er sie am liebsten in den Proviantsack gesteckt hätte, den die Bevölkerungspolizei später konfisziert und den der Mob in Stücke gerissen hatte. Er dachte daran, dass er mit dem Gedanken gespielt hatte, sie der Bevölkerungspolizei für Marks Freilassung zu übergeben, und dass er erwogen hatte sie im Gefängnis von Nezeree zurückzulassen. Es grenzte fast an ein Wunder, dass es ihm gelungen war, sie sicher zu Mr Talbot zu bringen.

»Und diese hier habe ich aus Ihrem eigenen Haus mitgebracht«, sagte er und hielt auch die anderen Dokumente hoch. »Draußen im Wagen habe ich noch mehr. Sind das auch Codes?«

»Nein. Das ist nur eine Einkaufsliste«, sagte Mr Talbot und deutete auf ein Blatt. »Und das hier ist ein Mathematik-Arbeitsblatt, das meine Tochter als kleines Mädchen ausgefüllt hat...« Sein Blick wurde weich. Trey sah auf die Zahlenreihen hinab, über denen in krakeliger Schrift »Jen« geschrieben stand. »Danke, dass du es mir mitgebracht hast«, murmelte Mr Talbot.

Mit Tränen in den Augen sah ihm Mrs Talbot über die Schulter. Trey fühlte sich etwas fehl am Platz in diesem intimen Moment.

Vielleicht reagiert Mom zu Hause genauso, wenn sie alte Blätter findet, die ich beschrieben habe, dachte er. Die Tatsache, dass sie ihn fortgeschickt hatte, bedeutete noch lange nicht, dass sie ihn nicht trotzdem vermisste.

Es bedeutete nicht, dass sie ihn nicht liebte.

»Was wollen Sie jetzt mit den Papieren machen?«, fragte

Trey, um den Frosch im Hals loszuwerden. »Den Dokumenten mit den geheimen Codes, meine ich?«

Mr Talbots Gesicht wurde wieder hart.

»Sie vernichten«, sagte er. »Wir werden sie im Kamin verbrennen, dann besteht keine Gefahr mehr, dass die Bevölkerungspolizei sie findet.«

»Wir könnten es ganz feierlich tun«, schlug Mrs Talbot vor.

»Ein feierlicher Akt des Widerstands – das gefällt mir.«

»Aber –«, sagte Trey.

»Aber was?«, fragte Mr Talbot.

Trey brachte nur ein Kopfschütteln zustande. Er wusste selbst nicht genau, warum er widersprechen wollte. Außer, dass er fand, man solle Wunder nicht zerstören.

Reicht es denn nicht, zu wissen, dass die Bevölkerungspolizei die Papiere nie bekommen wird?, fragte er sich.

Mrs Talbot lieh sich von Mr Hendricks einen zweiten Rollstuhl und schob Mr Talbot ins Wohnzimmer. Mr Hendricks rief die anderen zusammen. Lee machte Feuer im Kamin.

Mrs Talbot hielt die Papiere hoch über ihren Kopf.

»Danach würdest du dir die Finger lecken, Aldous Krakenaur«, erklärte sie schadenfroh. »Hier sind einhundert Kinder, denen du nie mehr etwas anhaben kannst.«

»Niemand wird je erfahren, wer sie sind«, fügte Mr Talbot vom Rollstuhl aus feierlich hinzu.

Trey sah, wie Mrs Talbot die Hand mit den Papieren zu den Flammen hinabsinken ließ. Die Worte *Niemand wird je erfahren, wer sie sind*, hallten ihm durch den Kopf.

»Doch, das werden sie«, murmelte er unhörbar.

Vorsichtig hielt Mrs Talbot das erste Blatt ins Feuer. Die

Flammen begannen an den Rändern zu lecken. In wenigen Sekunden würden sie die Codes in Asche verwandelt haben.

Trey sprang vom Sofa auf und riss das Blatt aus dem Feuer. Die Flammen fraßen sich weiter an den Rändern entlang und arbeiteten sich gierig zu den alles entscheidenden Zahlen in der Blattmitte und zu Treys Fingern vor. Er ließ das Blatt auf den Teppich fallen und trat das Feuer aus.

Alle starrten ihn sprachlos an. Mrs Talbot, die gerade das nächste Blatt ins Feuer werfen wollte, erstarrte mit ausgestrecktem Arm.

»*Sie* werden es wissen«, sagte Trey. »Die Kinder. Selbst wenn man jede Spur ihrer alten Identität auslöscht – jedes schriftliche Dokument –, sie werden trotzdem weiter wissen, wer sie wirklich sind. Lee, sag mir, wer du wirklich bist!«

»Ich bin –«, begann Lee und brach ab.

Mark beendete den Satz für ihn.

»Er ist Luke Garner«, sagte er. »Und wenn er die nächsten fünfzig Jahre damit zubringt, sich als Lee Grant auszugeben, bleibt er trotzdem Luke Garner. Mein Bruder.«

Er stampfte mit dem Gipsbein auf, um seinen Worten Nachdruck zu verleihen.

»Und du, Nina«, sagte Trey. »Betrachtest du dich selbst als Nina oder als –?«

»Elodie«, flüsterte Nina. »Tief drinnen bin ich immer noch Elodie.«

»Joel und John, ihr habt schon *zweimal* neue Namen bekommen. Wisst ihr noch, wer ihr ganz am Anfang wart?«

Wie zwei stumme, verängstigte Mäuse nickten die beiden kleineren Jungen.

»Und *ich*«, sagte Trey, »ich bin nicht Travis Jackson. Ich bin mutiger als früher und habe Dinge getan, von denen ich vorher nicht zu träumen gewagt hätte. Trotzdem bin ich immer noch Trahern Cromwell Torrance. Und das werde ich immer bleiben.«

Es war entsetzlich und wunderbar zugleich, den eigenen Namen laut auszusprechen. Trey wandte sich den Erwachsenen zu.

»Versteht ihr nicht?«, sagte er. »Ihr wart wunderbare Helfer, aber ihr wisst nicht, wie es ist, ein drittes Kind zu sein. Illegal zu sein. Die Bevölkerungspolizei will uns ausrotten, vom Erdboden tilgen. Aber –« Er nahm Mrs Talbot die verbleibenden Seiten aus der Hand und schüttelte sie. »Wenn überhaupt jemand die Bevölkerungspolizei besiegen kann, dann sind wir das. Es ist *unser* Leben, das auf dem Spiel steht. Wir brauchen diese Namen, damit sich die Schattenkinder zusammentun und dem Feind entgegentreten können. Gemeinsam.«

Erstauntes Schweigen erfüllte den Raum, dann murmelte Mrs Talbot tieftraurig: »Er klingt genau wie Jen.«

Trey wusste, dass Jen und ihre Freunde bei ihrem Marsch für die Freiheit gestorben waren.

Aber irgendwie jagte ihm das in diesem Moment keine Angst ein.

Mr Hendricks räusperte sich.

»Ich bewundere deine Gesinnung aufrichtig, Trey«, sagte er. »Und deinen Mut. Allein die Rettung deiner Freunde war eine ungeheure Leistung. Aber die Bevölkerungspolizei hat jetzt alles in der Hand. George hat Jahre dafür gebraucht, seine Widerstandsbewegung aufzubauen, und nun ist alles zerstört; ich fürchte, die Einzigen, die übrig geblieben sind, befinden sich in diesem Raum. Daher war deine kleine Rede zwar nobel und leidenschaftlich – aber nicht sehr realistisch.«

»Das Spiel ist aus«, sagte Mrs Talbot. »Wir haben verloren.«

Trey sah von einem zum anderen und versuchte die Gefühle seiner Freunde zu erahnen und die der Erwachsenen, die zu bewundern er gelernt hatte. Es waren die mutigsten Menschen, denen er je begegnet war. Doch jetzt sprach die nackte Angst aus ihren Gesichtern.

»Also, was wollen Sie tun?«, fragte er. »Sich hier draußen für immer verstecken?«

»Was können wir sonst tun?«, entgegnete Mr Hendricks.

Sie wollten sich nicht verstecken, wurde Trey klar. Doch nach allem, was passiert war, konnten sie nicht mehr tun als sich an einem abgelegenen Ort zusammenzuscharren und zu beten, dass man sie niemals entdecken würde.

»Ich für meine Person habe genug vom Verstecken«, sagte Trey und staunte über seine eigenen Worte. Trotzdem trafen sie zu. »Die Bevölkerungspolizei ist nicht unbesiegbar. Sie wird von marodierenden Horden angegriffen.« Er dachte an den Wachtposten auf der Brücke. »Ihre eigenen Leute desertieren und stehlen die Nahrungsmittel. Aldous Krankenaur will euch mit diesen ganzen Fernsehreden und jubelnden Menschenmassen nur glauben machen, dass er unheimlich beliebt sei und alles unter Kontrolle habe. Aber seine Macht ist noch nicht gefestigt. Seine Organisation ist . . . in chaotischem Zustand. Gerade *jetzt* ist er verwundbar. Wenn wir uns verstecken, nichts tun und auf den rechten Augenblick warten, verpassen wir vielleicht die Chance unseres Lebens.«

»Wiederum schön gesprochen«, sagte Mr Hendricks. Seine Stimme klang jetzt ein wenig schärfer. »Aber was schlägst du vor zu *tun*?«

Trey wusste es nicht. Er hatte das Gefühl, sich auf dünnes Eis begeben zu haben, auf dem er jeden Moment einbrechen würde. Vielleicht hatte er wirklich nur hohle Worte von sich gegeben, die keinerlei Bedeutung hatten.

Doch auf einmal wusste er, was er zu tun hatte.

»Ich bin der Bevölkerungspolizei beigetreten«, sagte er. »Also kann ich dorthin zurück. Ich kann Augen und Ohren offen halten und ... sie sabotieren. Wie Mr Talbot es getan hat. Und ich kann Leute suchen, die mir helfen.«

»Das heißt, du baust darauf, dass wir es geschafft haben, den Kommandanten von Nezeree hereinzulegen«, sagte Nedley. »Und dass man auf deinen Kopf keine Belohnung ausgesetzt hat wegen deiner Verbindung zu den Sabins.«

»Ich kann unter anderem Namen neu beitreten. Inkognito. Niemand außer dem Kommandanten hat von mir als Travis Jackson Notiz genommen. Ich muss einfach zusehen, dass ich mich von ihm und Nezeree fern halte. Ich kann doch sicher eine neue Identität bekommen, oder?« Diese Frage war an Mr Hendricks gerichtet.

Nach kurzem Zögern nickte dieser.

»Es ist ein hartes Leben«, sagte Mr Talbot. »Und gefährlich. Und es wird höchstwahrscheinlich schlecht ausgehen.«

Er starrte ins Feuer und Trey wusste, dass er nicht einfach

nur den Flammen zusah. Er dachte an all seine Freunde und vertrauten Kollegen, die nun tot waren. Auch ihn selbst hatte man fast zu Tode geprügelt.

»Ich weiß«, sagte Trey. »Aber ich muss es versuchen. Will –« Er schluckte. »Will irgendjemand mit mir kommen?«

Die Frage hing in der Luft wie Rauch und einen Moment lang fürchtete Trey, dass ihm niemand antworten würde. Er wollte nicht allein gehen, aber er würde es tun, wenn es sein musste.

Dann wagte sich Nedley vor.

»Ich bin dabei«, sagte er. »Herumsitzen und Warten ist nicht meine Sache; ich bin bereit für ein neues Abenteuer. Und wenn ich dabei umkommen sollte, dann ist es eben so.«

Auch Lee nickte.

»Ich hatte im Gefängnis furchtbare Angst«, sagte er. »Manche Dingen sind ... schlimmer als der Tod. Aber ich habe mich schon einmal zurückgehalten und einen Freund den mutigen Part übernehmen lassen. Dieses Mal gehe ich mit Trey.«

»Ich auch«, sagte Nina.

»Und ich«, sagte der Chauffeur.

Alle blickten zu Joel und John, die stumm den Kopf schüttelten.

»Ihr könnt warten und vielleicht später mitmachen«, sagte Trey freundlich. Wer war er, um irgendjemandem Feigheit vorzuwerfen?

»Moment mal«, sagte Mark. »Und was ist mit mir?«

Ihn hatte Trey fast vergessen.

»Das hier ist nicht dein Anliegen«, sagte Trey. »Und du

musst es nicht dazu machen. Du kannst ohne Bedenken nach Hause –«

»Nein.« Mark schüttelte vehement den Kopf. »Du hast gesagt, die dritten Kinder wüssten, wer sie wirklich sind – glaubst du denn, ihre Familien wüssten das nicht? Glaubst du, eine Familie würde sich nicht jeden einzelnen Tag, den ihr Kind fort ist, sorgen, grämen und ängstigen? Das ganze Leben lang? Mein Bruder ist schon zweimal ohne mich fortgegangen. Das reicht. Ich bringe den Wagen zurück nach Hause, kuriere mein Bein und die Verbrennungen aus und dann – bin ich zur Stelle, wo immer ihr mich braucht.«

Trey sah zu den Erwachsenen hinüber.

»Wir werden für euch tun, was möglich ist«, sagte Mr Hendricks. »Im Hintergrund. Das ist alles ... was wir tun können.«

Er hatte Tränen in den Augen, aber Trey war nicht klar, ob es Tränen des Bedauerns oder der Angst waren. Oder des Leids. Vielleicht trauerte er bereits jetzt um Trey und seine Freunde.

Mrs Talbot übergab Trey die restlichen Papiere.

»Du hast jetzt die Verantwortung für einhundert Menschenleben«, sagte sie.

»Ich weiß«, erwiderte Trey.

Er spürte die Bürde dieser Verantwortung. Schon die Verantwortung, Mr Talbot, Lee und die anderen zu retten, war eine schwere Last gewesen. Er hatte an vielen Stellen gepatzt: Auf Mr Talbots Veranda hatte er sich erwischen lassen, er hatte mit den Gewichten im Keller der Talbots herumgerasselt und den Proviantsack im Wald zurückgelassen, er war durch den Luftschacht gebrochen und hatte den Wagen genau in dem Augenblick abgewürgt, als der Mob auf sie losging. Aber am Ende war alles gut gegangen. Irgendwie und gegen jede Vernunft hatte er das Gefühl, auch mit dieser Verantwortung fertig werden zu können.

Mit ein wenig Unterstützung.

35. Kapitel

Trey stand am Ende einer langen Schlange von Männern und Jungen. In seinem Hemd raschelten Papiere – gefährliche Papiere, die vielen Menschen den Tod bringen konnten. Und er wartete darauf, das Hauptquartier der Bevölkerungspolizei zu betreten; für dritte Kinder der gefährlichste Ort im ganzen Land.

Doch er wartete geduldig; er störte sich nicht an der Sonne, die ihm auf den Kopf brannte, und an den verdrossenen Menschen um ihn herum. Sein Freund Lee stand neben ihm. Und seine Freunde Nina, Nedley und der Chauffeur waren bereits drinnen.

Trey spähte zu einem Bevölkerungspolizisten hinüber, der träge an einem Baum lehnte und die Schlange beobachtete.

»Du hast keine Ahnung, was alles passieren wird«, hätte Trey dem Mann am liebsten zugerufen. »Wenn du wüsstest, was wir vorhaben, würdest du nicht so sorglos dastehen.«

Natürlich wusste auch Trey längst nicht alles. Aber zum ersten Mal im Leben fühlte er sich mutig genug allem, was noch kommen würde, ins Auge zu sehen.

dtv junior

Ab 12

Ein Leben
im Verborgenen

Schattenkinder
ISBN 978-3-423-**70635**-3

Schattenkinder – Unter Verrätern
ISBN 978-3-423-**70770**-1

Schattenkinder – Die Betrogenen
ISBN 978-3-423-**70788**-6

Schattenkinder – In der Welt der Barone
ISBN 978-3-423-**70907**-1

Schattenkinder – Im Zentrum der Macht
ISBN 978-3-423-**70984**-2

Schattenkinder – Gefährliche Freiheit
ISBN 978-3-423-**71200**-2

Übersetzt von Bettina Münch